생각이 자라는 글쓰기

생각이 자라는 글쓰기

발 행 | 2024년 1월 22일
저 자 | 인천e학습터 생각이 자라는 글쓰기 동아리
펴낸이 | 한건희
펴낸곳 | 주식회사 부크크
출판사등록 | 2014.07.15.(제2014-16호)
주 소 | 서울특별시 금천구 가산디지털1로 119 SK트윈타워 A동 305호
전 화 | 1670-8316
이메일 | info@bookk.co.kr

ISBN | 979-11-410-6816-5

생각이
자라는
글쓰기

인천e학습터 <생각이 자라는 글쓰기 동아리> 학생 글 모음

CONTENT

안녕하세요. 생각이 자라는 글쓰기 동아리 학생 여러분. 인천부내 초등학교 황재인 선생님입니다.

그동안 생각이 자라는 글쓰기 과제를 성실하고, 진지하게 임해준 모든 학생들에게 격려와 박수를 보냅니다. 늘 강조했듯이 글쓰기라는 것은 결코 쉬운 일이 아닙니다. 때론 너무 고민이 되기도 하고, 때론 너무 귀찮기도 한 그런 일이지요. 하지만 이러한 노력 끝에 완성한 자신의 글을 볼 때면 또 너무 뿌듯해지기도 하는 뭔가 알쏭달쏭한, 그리고 기분 좋은 간질간질한 그런 일이기도 하지요.

그동안의 여러분의 글을 보면서 우리 생각이 자라는 글쓰기 동아리 학생들의 글쓰기가 많이 성장했다는 것을 느낄 수 있었습니다. 처음에는 단순히 독후감을 쓰는 줄 알고, 책의 줄거리를 잔뜩 적어 놓던 학생들도 이제는 책을 통해 작가가 전달하려는 주제와 의미를 자신의 경험과 연관지어 자신의 이야기로 만들 수 있는 힘이 생긴 듯 합니다.

모쪼록 이러한 고된 과정과 노력이 여러분 모두의 글쓰기에 좋은 밑거름이 되었을거라 생각하며 그동안 여러분이 과제로 작성했던 글쓰기 작품을 정선해 '생각이 자라는 글쓰기' 책자로 발간하였습니다.

제1장 **가족**에 대하여

<생각이 자라는 글쓰기>의 첫 번째 주제 찾기 도서는 『바꿔!』 (박상기 글, 오영은 그림 / 비룡소)입니다.

『바꿔!』는 자신을 괴롭히는 친구와 몸을 바꿔 복수하려던 열두 살 '마리'가 의도치 않게 엄마와 몸이 바뀌게 되면서 겪는 일들을 다룬 책이지요. 가족과 친구, 여러 관계 속의 자신과 타인을 돌아보게 함으로써 누구나 한번쯤 해 볼 만한 공감 어린 상상을 새롭고 의미 있게 풀어내어 2017년 제24회 황금도깨비상을 수상하였습니다.

여러분도 이 책 『바꿔!』 속에 등장하는 '바꿔!'앱을 통해 일주일간 가족 중 누군가와 몸을 바꿀 수 있다면 누구의 몸이 되어 보고 싶은가요? 기발하지만 의미 있는 상상이 담긴 4월의 책 『바꿔!』를 읽고, 늘 가까이 있어 때로는 소홀하고, 그 중요함을 잘 깨닫지 못하는 '가족'에 대한 여러분의 생각을 글로 표현해 보세요.

가족은 냄비 뚜껑

인천영선초 5학년 김수연

'바꿔'는 가족에 대한 의미를 알려주는 책이다. '바꿔' 속 주인공 마리는 처음에 엄마의 마음을 잘 알지 못했다. 하지만 엄마와 몸이 바뀌고 나서 점차 엄마의 마음을 알게 되었다.

나는 가족을 냄비의 필수품인 냄비 뚜껑이라고 생각한다.

냄비에 음식을 넣고 요리를 할 때 냄비 뚜껑을 닫지 않으면 사방으로 음식물이 튀어 나가서 주변도 지저분해지고 요리도 잘 되지 않는다. 그렇기 때문에 냄비에게는 냄비 뚜껑이 꼭 필요하다.

이처럼 나에게 가족은 냄비의 뚜껑처럼 꼭 필요한 존재이다. 나에게서 옳지 못한 행동들이 튀어 나올 때 나를 잡아주고 내가 더 좋은 사람이 될 수 있도록 잘 이끌어준다.

가족은 서로 끌어주고 밀어주고 도와주고 위로해주는 아주 소중한 존재이다.

우리 가족

인천부내초 5학년 이서우

가족의 의미는 기쁠 때나, 슬플 때나, 설렐 때나, 실망할 때나, 배고플 때나 늘 같이 옆에 있어주고, 마음을 공감해주는 관계라고 생각한다.

과학적으로는 유전자가 섞여 부부를 중심으로 하여 그로부터 생겨난 아들, 딸, 손자, 손녀 등으로 구성된 집단을 말한다.

우리 가족을 소개하자면 엄마, 아빠, 나, 그리고 언니가 둘이다. 엄마는 성실하시고 독서를 좋아하신다. 아빠는 조금 과묵한 편이시고 라면을 좋아하신다. 첫째 언니는 고3이다. 고3이면 모든 것을 이해해주어야 한다. 둘째 언니는 사춘기에 중2병을 앓고 있다. 더 설명이 필요 없을 것 같다. 그리고 나는 과일과 동물을 좋아하는 초등학교 5학년이다.

내 생각에 가족은 꼭 서로의 마음을 다 알아줄 수는 없다고 생각한다. 성격이 안 맞으면 싸울 수도 있다. 나는 언니들과 종종 의견이 맞지 않아 충돌할 때가 있다. 하지만 그것도 잠시, 결국 우리는 다시 화해를 하고 가족의 모습으로 돌아간다.

외할머니의 이야기를 들어보면 외할머니 때에는 자식을 아주 많이 낳았다고 한다. 우리 외할머니는 무려 9명의 자식을 낳으셨다.

하지만 요즘 내 주변을 보면 형제 자매가 없는 외동이 많은 것 같다. 다행히 우리 가족은 5명이다. 이렇게 가족이 많으면 좋은 점이 있다. 같이 놀 사람이 많아 심심하지 않다는 것이다. 하지만 나쁜 점도 있다. 내 돈으로 내가 산 과자를 호시탐탐 노리는 사람도 많다는 것이다.

하지만 정말 중요한 것은 그래도 우리 가족은 서로를 존중한다는 것이다. 때론 싸우고 다툴 때도 있지만 그래도 우리는 서로를 존중하고 서로를 소중하게 생각한다. 그래서 나는 우리 가족이 좋다.

가족의 의미

인천왕길초 5학년 신예원

'가족'이란 무엇일까? 가족에 대한 생각이 누구나 조금씩 다르겠지만 대부분의 사람들은 가족을 '소중한 존재'라고 이야기 할 것이다. 그렇다면 '존재'란 무엇일까? 사전적인 의미로 존재란 '현실에 실제로 있는 대상'이다. 영어로는 existece 즉, 실재, 현존이다. 그렇다면 또 '소중함'이란 무엇일까? 사전적인 의미로 소중함이란 '매우 귀중한 것'이다. 영어로는 precious 즉, 귀중한, 값비싼 것이다. 그럼 이 두 단어가 합쳐진 '소중한 존재'란 '현존하는 귀중한 것'이라는 뜻이 된다. 맞다. 나에게 가족이란 '누구에게도 줄 수 없는 소중한 존재'인 것이다.

「바꿔!」라는 책 속에는 언제나 일에 지쳐 있는 엄마, 자주 볼 수 없는 아빠, 매일 컴퓨터만 하는 오빠, 그리고 항상 우울한 나가 등장한다. 처음에는 서로를 이해하지 못한 채 지내다 우연한 사건으로 인해 나중에는 가족 모두가 서로를 존중하고 돌봐주는 가족으로 변하게 된다.

우리 주변에도 이렇게 서로를 존중하지 않는 가족들이 많은 것 같다. 그렇다면 왜 우리는 가족간의 존중이 없을까? 그 이유는 바로 서로를 자세히 들여다보지 않기 때문인 것 같다. 우리는 늘 누군가의 모습을 본다. 하지만 그 사람의 진짜 모습, 본 모습을 자세히 들여다보는 것이 아니라 대충 보고 사람들을 평가한다. 가족들 간에도 그렇다. 가족끼리도 서로를 자세히 보지 않고 또 자세히 들으려 하지 않는다. 그래서 서로에 대한 존중이 생기지 않는다.

사람은 그 사람을 어떻게 보느냐에 따라 많은 것이 달라지는 것 같다. 우리가 가족을 소중하게 생각하고, 가족의 모습을 잘 살피고, 가족의 이야기를 들어줄 때 가족 간에 존중이 생기고, 행복한 가족의 모습이 될 수 있다. 그것이 진짜 가족의 모습이고 의미이다.

오빠 사용 설명서

우리 오빠를 설명합니다. 우리 오빠 이름은 '안우섭'. 맨날 집구석에 틀어박혀서 게임만 하는 사람이에요. 지금부터 우리 오빠를 사용하는 법에 대해 알려드릴게요.

첫 번째, 우리 오빠는 먹는 것을 아주 좋아해요. 하지만 편식이 아주 심한 편이지요. 그래서 간혹 오빠에게 무언가를 부탁할 때면 라면을 끓여주거나 새우깡을 주면 돼요. 그러면 오빠는 그 누구보다 믿음직한 나의 오빠로 변신을 한답니다.

두 번째, 우리 오빠는 게임하는 것을 아주 좋아해요. 그렇기 때문에 내가 같이 게임을 해주면 우리 오빠는 평소의 모습과는 달리 나에게 너무 착한 오빠가 된답니다.

세 번째, 가끔은 오빠에게 청소를 도와달라고 말해보세요. 그럼 아주 잘 도와줄거에요. 다만 조건이 하나 있어요. 그것은 바로 오빠가 내 방 청소를 도와줄때면 오빠도 꼭 자기 방을 같이 청소해달라고 해요. 물론 돼지 우리 같은 오빠 방을 생각하면 내가 손해인 것 같지만, 자세히 들여다보면 오빠 방이 생각보다 깨끗해서 가끔 놀랄 때가 많아요.

마지막으로, 이건 비장의 무기인데... 정말 오빠에게 큰 부탁을 하거나 오빠가 화가 많이 나 있을 때에는 '킨더조이'라는 초콜릿을 주세요. 오빠가 가장 좋아하는 간식인데, 이걸 주면 오빠는 초콜릿이 사르르 녹는 것처럼 오빠의 차가운 마음도 사르르 함께 녹아버려요.

우리 오빠 안우섭은 생각보다 착한 면이 많은 사람이에요. 때론 사납기도 하고, 욕을 하기도 하고, 장난을 많이 쳐서 속상하기도 하지만 그래도 다른 사람이 우리 오빠에 대해 욕하거나 싫은 소리를 하면 기분이 너무 나빠요.

우리 오빠 사용 설명서를 잘 읽어보고, 우리 오빠를 잘 사용했으면 좋겠어요. 왜냐하면 우리 오빠는 꽤 괜찮은 사람이거든요.

가족과 사이가 나빠지는 방법

인천삼목초 5학년 박수아

지금부터 가족과 사이가 나빠지는 방법을 알려드리겠습니다.

첫째, 배려하지 않기

동생이 숙제를 하거나 책을 읽을 때 자꾸 말을 걸어 집중이 안되게 하면 동생이 화를 낼 것입니다. 또 아빠가 피곤해서 주무시는데 노래를 크게 틀거나 불러서 아빠의 잠을 방해해 보세요. 그럼 아빠가 "제발!"이라고 외칠 것입니다.

둘째, 양보하지 않기

닭다리를 좋아하는 아빠 앞에서 닭다리 두 개를 냉큼 집어 먹어 보세요. 아빠가 화를 내지는 않지만 표정이 일그러지는 것을 볼 수 있을 겁니다. 또 동생이 좋아하는 TV 프로그램을 보고 있을 때 갑자기 내가 좋아하는 TV 채널로 바꾸면 동생이 화가 나서 울 것입니다.

셋째, 챙겨주지 않기

엄마가 외출했을 때 무서워하는 동생을 혼자 두고 놀러가세요. 그러면 동생은 무서워서 울고 엄마는 서둘러 집으로 돌아와서 화를 낼 것입니다.

넷째, 가족과 함께 하지 않기

주말 여가시간에 부모님이 공원으로 나들이를 가자고 할 때 급한 약속이 있다고 집을 먼저 나가보세요. 그러면 결국 가족들은 외출을 못할 것이고, 집에서 심심하게 지낼 것입니다.

다섯째, 애정표현 하지 않기

부모님께서 나에게 사랑한다고 말을 해주실 때 아무 말도 하지 말고, 안아주거나 손을 잡아주실 때 뿌리쳐 보세요. 그럼 부모님께서는 매우 당황하고 서운해 하실 겁니다.

여섯째, 정직하지 않기

엄마께서 사다 주신 과자를 정해진 양보다 더 많이 먹었는데 엄마께서 누가 더 먹었냐고 물어보시면 동생이 더 많이 먹었다고 시치미를 뚝 떼어보세요. 그러면 동생은 억울해서 곧 울고 말겁니다.

위와 같이 계속 행동한다면 가족과 사이가 나빠지는 것은 시간문제가 될 것입니다. 하지만 가족과 사이좋게 지내고 싶다면 지금까지 제가 소개해드린 방법을 거꾸로 행동해 보세요. 아마 여러분은 사랑과 행복이 넘치는 가족을 보게 될 것입니다.

제2장 생명에 대하여

<생각이 자라는 글쓰기>의 두 번째 주제 찾기 도서는 『악당의 무게』(이현 글, 오윤화 그림 / 휴먼어린이)입니다.

『악당의 무게』는 한 소년이 우연히 들개를 마주치면서 벌어지는 가슴 뭉클한 이야기를 담은 책입니다. 주인공 '수용'이는 5학년 동급생들에 비해 내성적이고 몸집도 외소한 아이입니다. 평소와 다름없던 어느 날, 동네 산책로에서 들개 한 마리를 마주치게 되는데, 이 개는 요구르트 색깔에 옆구리에는 붉은 스프레이 자국이 선명한 그 들개는 길들여지지 않은 서늘한 눈빛과 꼿꼿한 자세로 수용이를 압도합니다. 수용이는 들개에게 '악당'이라는 이름을 붙여주고, 이렇게 악당을 만나면서 수용이의 세계가 움직이기 시작합니다.

여러분은 반려동물을 길러본 적이 있나요? 아니면 이 책『악당의 무게』속에 등장하는 악당처럼 유기견을 본 적이 있나요? 이번 <생각이 자라는 글쓰기>는 여러분의 삶 속에서 반려동물과 함께 했던 경험 등을 토대로 '반려동물', '생명', '생명의 소중함', '사람과 동물', 사람과 생명' 등을 소재로 여러분의 이야기를 만들어 주세요.

하늘이와 함께한 추억

인천부내초 5학년 최하은

저는 하늘을 키우고 있습니다. "'하늘'을 어떻게 키워?"라고 물으실 것 같아 말씀드리면 제가 키우는 하늘은 그 하늘이 아니고 바로 강아지의 이름입니다.

하늘이와의 첫 만남은 조금 달랐습니다. 하늘이가 있던 곳의 다른 강아지들은 저를 보고 "나 데려가!!!"라고 날뛰던 반면 하늘이는 저만 빤히 쳐다보며 우아하게 앉아있었거든요. 그래서 전 생각했죠. '너구나, 나의 룸메이트가'. 하늘이는 제 속마음이라도 읽은 듯 윙크를 했습니다. 그리고 며칠 뒤 어머니께서는 하늘이를 데리고 오자고 하셨습니다. 이렇게 2019년 5월 20일 드디어 생후 4개월인 하늘이와 저는 한 가족이 되었습니다.

하늘이와 한 가족이 되고 나서 셀렘과 두려움이 오갔습니다. 셀렘은 새로운 가족이 생겼다는데서 오는 셀렘, 그리고 두려움은 언젠가는 하늘이와 이별해야 할지도 모른다는, 그리고 '혹시 내가 하늘이에 대한 책임감을 잃어버리면 어떻게 하지?'라는 두려움이었습니다. 그래서 마음속으로 하늘이를 끝까지 책임감있게 키워내겠다는 다짐을 다시 한 번 했습니다.

하늘이가 우리 집에 온지 2~3달이 지났을 때 지금까지도 생생하게 기억에 남는 큰 사건이 터졌습니다. 아침 8시, 원래 같았으면 내 발 밑에 누워 있었어야 할 하늘이가 보이지 않았습니다. 집을 샅샅이 뒤져보아도 하늘이는 보이지 않았습니다. 불안한 생각이 스쳐 지나갔습니다. '혹시 하늘이가 베란다에서 떨어진 건 아닐까?' 할머니께 이 불안한 생각을 말씀드리고 얼른 주차장으로 내려가 하늘이를 애타게 찾았습니다. "하늘아!!!"를 계속 외치며 집 주변을 돌며 하늘이를 찾았지만 하늘이는 볼 수 없었습니다. 허무한 마음, 속상한 마음으로 집에 돌아왔는데 할머니 방 문을 누군가가 긁고 있는 듯한 소리가 들렸습니다. 혹시나 하는 마음은 금새 확신으로 바뀌었고, 문을 열어보니 그토록 애타게 찾고 있던 하늘이가 있었습니다. 사실 하늘이는 베란다에서 떨어진 것이 아니라 할머니 방에 들어갔다가 바람으로 닫힌 문 때문에 할머니 방에 갇혀 있었던 것이었습니다. 이 일로 인해 하늘이에 대한 애정, 사랑, 그리고 소중함이 더 커졌습니다. 물론 이런 하늘이와도 다툴 때가 있습니다. 바로 엄마 때문이지요. 하늘이가 엄마랑 꼭 붙어있으면 제가 하늘이를 질투하고, 또 반대로 제가 엄마와 꼭 붙어 있으면 하늘이가 저를 질투합니다. 강아지를 질투한다는게 인간적으로 자존심이 상하는 일이긴 하지만 그래도 이렇게 말도 안되는 이유로 싸우고 있는 우리 둘의 모습이 재미있기도 하고 또, 이런 나의 질투를 하늘이는 내가 자신과 놀아준다고 생각하는 것 같아 그냥 같은 이유로 종종 다투곤 합니다. 물론 그럼 엄마는 현명하게 "둘 다 이리로 와~"라며 우리 둘을 꼭 안아주십니다.

벌서 하늘이와 함께 한 지 4년이라는 시간이 흘렀습니다. '4년이라는 시간이 이렇게 빨랐나?'라는 생각과 함께 그동안 하늘이와 더 많이 놀아주고 이뻐해주지 못한 게 미안하기도 합니다.

"하늘아~ 언니는 집에 오면 매일매일 혓바닥 내밀고 웃으며 반갑게 나를 반겨주는 하늘이가 너무너무 좋아. 그리고 항상 고마워. 계속 내 동생 해줄거지? 너무 너무 사랑한다. 하늘아~"

생명의 무게

인천경서초 5학년 안수정

여름이 되면 걱정거리가 하나 생긴다. 바로 모기 때문이다. 모기에 물리면 너무 가렵다. 긁으면 아프고, 약을 발라도 빨리 나아지지 않아서 여름철 모기는 언제나 두려움의 대상이다. 심지어 모기는 말라리아라는 무서운 질병을 인간에 옮기기까지 한다. 그래서 나는 모기가 이 지구상에서 영영 사라져버리는 상상을 해보곤한다. 하지만 반대로 모기의 입장에서 생각해보면 모기들도 우리들에게 고통을 주기 위해 피를 빨아먹는 건 아닌 것 같다. 우리도 살아가기 위해 식물이나 동물을 먹듯 모기들도 살기 위해서 인간을 포함한 다른 동물들의 피를 빨아먹는 것이다.

우리는 모기를 '해충'이라고 부른다. 우리가 모기를 해충이라고 부르는 까닭은 모기가 우리들에게 '해'가 되는 곤충이라고 생각하기 때문이다. 하지만 거꾸로 다른 생명의 입장에서는 오히려 인간이 자연에 수많은 해를 끼치는 존재가 된다.

인간은 자신의 필요를 위해 다른 생명을 잔인하게 죽이는 일을 당연히 여길 때가 많다. 상아를 얻기 위해 코끼리를 잔인하게 죽이기도 하고, 밍크코트를 만들기 위해 밍크의 가죽을 산 채로 벗기기도 한다. 또 나무를 베고 숲을 초토화시켜 숲 속의 수많은 생명들의 보금자리를 뺏어버리기도 한다. 심지어는 인간의 친구라 불리는 개나 고양이조차도 학대를 당하거나 버려지기도 한다.

생명에는 무게가 없다. 어떤 생명은 소중하고 최우선으로 보호해야하고, 어떤 생명은 보잘것없고 하찮아 마음대로 해도 되는 그런 생명은 없다. 우리 지구상에 살고 있는 모든 식물, 곤충, 동물 등 살아 있는 모든 것들은 각자가 살아가야 할 이유와 그들이 살아갈 세상이 있다. 그 세계를 존중하며 공존해 나가는 것이 우리가 이 지구에서 함께 살아가는 올바른 방법이다.

반려동물

인천만수초 5학년 임후연

 예전에 생일선물로 받은 거북이가 있었다. 처음 선물로 받았을 때는 엄청 작고 귀여웠다. 하지만 키우면 키울수록 거북이의 몸집은 더욱 커졌고, 또 무거워졌다. 먹이도 너무 많이 먹어서 거북이 먹이 값이 너무 많이 들었다. 거북이를 계속 키우는 것이 힘들어서 결국 아파트 근처에 있는 문구점 사장님께 드리기로 했다. 그 문구점에는 물에 사는 생물이 많이 있어 거북이가 살기 딱 좋아보였다. 하지만 막상 거북이를 보내고 나니 뭔가 아쉬운 마음이 많이 들었다. 아마 2년이라는 시간동안 정이 들어 그랬던 것 같다.

 학교를 가는 길에 우연이 떠돌이 개를 보게 되었다. 처음 봤을 때는 조금 징그럽다고 느껴졌는데 주인에게 버려져 저렇게 떠돌아다닌다고 생각하니 불쌍하다는 생각이 들었다. 그리고 문득 이런 생각이 들었다. '개도 같은 생명체인데, 왜 우리가 더 똑똑하다고 저렇게 버리는 걸까?' 마음 같아서는 당장 떠돌이개를 데려다가 집에서 키우고 싶다는 생각도 들었지만 막상 데려갔을 때 부모님께 혼날 것을 생각하니 쉽사리 실천에 옮길 수는 없었다.

 반려동물이란 사람들이 키우는, 사람과 같이 함께 살아가는 동물이다. 어떤 반려동물들은 좋은 주인을 만나 사랑을 받으면서 살아가지만 또 어떤 반려동물들은 나쁜 주인을 만나 힘들게 살아가곤 한다. 즉, 반려동물의 팔자는 어떤 주인을 만나느냐에 따라 결정된다.

그렇다면 내가 키운 거북이에게 나는 어떤 주인이었을까?

생명의 소중함

인천부내초 5학년 정선우

내가 6살 때 고모네로부터 말티즈 한 마리를 분양받았다. 처음 키울 당시에는 내가 너무 어려서 나는 주로 강아지와 놀아주는 역할을 맡았고, 강아지를 씻겨주거나 강아지를 키우는 귀찮은 일들은 모두 엄마와 아빠께서 하시곤 했다. 그렇게 강아지와 지낸 많은 시간동안 나는 늘 강아지와 붙어다녔고 그게 당연한 일이라고 생각했다. 하지만 시간이 지나서 내가 3학년이 되었을 때 갑자기 부모님께서 강아지를 입양보낸다고 말씀을 하셨다. 너무 갑작스런 이야기에 나는 너무 놀라고 속상했다. 그동안 강아지한테 더 살해주지 못한 것이 생각나 미안한 마음도 많이 들었다. 그렇게 강아지를 보낸 후 일주일 정도는 매일 강아지가 생각났고, 마음 한 곳이 뻥 뚫린 것처럼 허전하기도 했다. 항상 같이 있을 때는 같이 있는게 너무 당연해서 같이 있다는 것이 얼마나 중요하고 소중한지 몰랐는데 막상 강아지를 떠나보내고 나니 강아지가 나에게 얼마나 소중한 존재였는지가 느껴졌다.

나는 그동안 생명의 소중함에 대해 깊이 들여다보고 생각해본 적이 없었다. 하지만 3학년때까지 키운 강아지를 떠나보내며 생명에 대해 다시 생각해보게 되었다. TV를 보면 사람들이 뿔과 가죽을 얻기 위해 꼬뿔소를 총으로 쏴서 죽이는 경우가 있다. 심지어 시체를 제대로 처리도 하지 않고, 그냥 필요한 부분만 잘라서 가져가버린다. 그 모습을 보면서 인간이 너무 잔인하다는 생각이 들었다. 또 그렇게 죽은 꼬뿔소나 야생 동물이 너무 가엾고 안타깝다는 생각도 들었다.

얼마전에는 학교에서 개미들을 잡아 밟고 죽이면서 노는 친구들을 본 적이 있다. 그 개미들은 그저 작은 먹이를 찾으러 나온 것뿐이었을텐데 결국 아이들에 의해 무참히 밟혀 죽었다. 내가 개미라면 너무 화가 나고 억울할 것 같다는 생각이 들었다.

생명은 그 모습이 크던 작던 모두 중요하다. 아무리 작은 개미라도 함부로 해서는 안된다. 그리고 인간에게 필요하다는 이유로 꼬뿔소나 야생 동물이 그렇게 죽어서도 안된다.

모든 생명은 소중하다. 그렇기 때문에 우리는 생명을 대할 때 신중하고 또 신중하게 생각해야 한다.

유기견도 존중해 주세요

인천부내초 5학년 이채린

여러분들은 길거리에 돌아다는 유기견들을 보신 적이 있으신가요? 저는 가끔식 학교가 끝나고 집에 돌아가는 길에 유기견을 만날 때가 있습니다. 그리고 그 유기견들을 볼 때마다 '어쩌다 이렇게 길에서 돌아다니게 되었을까?'라는 궁금증을 갖게 됩니다.

제 생각에 이런 유기견들은 대부분 늙거나 못생겼다는 이유 그리고 병에 걸려 치료비가 많이 든다는 등의 이유로 누군가에 의해 고의적으로 버려진 것 같습니다. 그렇다면 반대로 이렇게 인간에 의해 버려진 유기견들의 심정은 어떨까요? 아마 유기견들은 자신이 사랑하던 주인에게 무책임하게 버림받아진 것에 대해 너무나 슬퍼할 겁니다. 또 그 슬픔을 인간처럼 표현하지도 못해 너무 괴로울 것입니다.

TV를 보면 요즘에는 유기견들이 너무 많아져 이런 유기견들을 보호하는 유기견보호센터에도 자리가 없을 정도라고 합니다. 그만큼 우리 주변에 자신이 키우던 반려동물을 버리는 사람이 많다는 이야기입니다.

반려동물은 엄연한 하나의 생명체입니다. 인간처럼 말은 하지 못하지만 인간이 느끼는 기분, 감정 등을 똑같이 느끼는 존재입니다. 혹시 여러분이 반려동물을 입양할 계획을 가지고 있다면 절대로 입양을 쉽게 결정하지 말고 신중하게 결정해 주세요. 정말로 반려동물을 가족같이 대하고 존중하고 소중히 대해줄 수 있는 마음이 생겼을 때 입양을 해주세요. 그리고 혹시 유기견에게 도움을 주고 싶은 마음이 있다면 집 근처에 있는 유기견보호센터에 가서 유기견과 놀아주기, 미용, 샤워, 식사 도움과 같은 봉사활동을 할 수 있습니다.

유기견도 그리고 반려동물도 모두 소중한 생명입니다. 이 소중한 생명을 존중하고 소중히 대해주세요.

제3장 고민에 대하여

<생각이 자라는 글쓰기>의 세 번째 주제 찾기 도서는 『5학년 5반 아이들』(윤숙희 지음 / 푸른책들)입니다.

『5학년 5반 아이들』은 같은 반의 일곱 아이들이 학기 초부터 6월 말까지의 시간 동안 벌어지는 사건과 마음속의 이야기를 아이들 각각의 시선에서 풀어낸 작품입니다. 천재는 이름과 반대로 머리가 나빠 고민이고, 수정이는 아토피가 콤플렉스입니다. 준석이는 집이 망한 사실을 다른 아이들에게 들킬까 봐 걱정이고, 장미는 슈퍼스타가 되는 길이 험난해 좌절을 겪습니다. 집과 학교에 마음을 붙이지 못하는 태경이나 공부에 치여 꿈꿀 여력이 없는 미래, 주의력 결핍 장애를 겪고 있는 한영 역시 고민의 무게가 만만치 않음을 느끼고 있습니다.

『5학년 5반 아이들』 책 속에 등장하는 일곱명의 아이들처럼 우리 역시 수많은 고민을 가지고 살아갑니다. 친구와의 관계, 학교 성적, 부모나 형제와의 마찰, 미래에 대한 막연한 기대와 걱정 등 고민거리는 무궁무진하고 해결책은 쉽사리 손에 잡히지 않는 듯 보입니다. 무엇보다 자신의 고민에 몰두하다 보면 고민 없이 사는 것처럼 보이는 다른 이들이 부럽거나 원망스러워지기도 하는 이상한 감정까지 덤으로 얻게 되기도 합니다. 하지만 누구에게나 고민은 있기 마련이고, 그것이 우리에게 부정적인 영향만 끼치는 것은 아닙니다. 이번 <생각이 자라는 글쓰기>는 지금 여러분이 가지고 있는 다양한 고민들 가운데 하나를 꺼내어 이야기로 만들어 보는 것입니다.

나의 고민

인천부내초 5학년 이수아

나는 고민이 많은 편이다.

첫 번째 고민은 외모이다. 난 거울을 볼 때마다 '왜 난 예쁘지 않을까?'라는 생각을 자주 한다. 특히 TV에서 예쁜 여자 아이들을 볼 때마다 더욱 그렇다. 그래서 나름 열심히 수영도 하고, 바른 자세로 운동도 하고, 피부 관리도 하고 있지만 조금도 변하지 않는 내 얼굴과 몸매를 보면 솔직히 속상하기도 하고 짜증이 난다.

두 번째 고민은 성적이다. 우리반에는 거의 모든 시험에서 올백을 맞는 친구가 한 명 있다. 나는 그 친구를 늘 존경의 눈빛으로 바라본다. 나도 성적을 올리기 위해서 열심히 노력한다. 예습은 물론 인터넷으로 부족한 수학 강의도 듣고, 또 모르는 문제가 나오면 교과서도 들춰보며 열심히 공부하지만 나의 점수는 늘 100점이 아닌 70점에서 90점을 왔다 갔다 할 뿐이다.

세 번째 고민은 집이다. 우연히 내 친구들의 집을 놀러갔을 때 나는 깜짝 놀랐다. 집도 넓고 너무 세련된 인테리어로 잘 꾸며져 있었기 때문이었다. 반면 내가 살고 있는 우리 집은 많이 좁고 낡은 편이다. 나는 때때로 이런 집에서 살고 있는 나의 모습을 친구들에게 감추고 싶다는 생각이 들 때가 있다.

마지막 고민은 컴퓨터이다. 지금은 인터넷과 스마트폰이 너무 대

중화되어서 많은 사람들이 너무나 자연스럽게 사용한다. 내 주변에 있는 친구들도 마찬가지이다. 하지만 나는 아직도 인터넷과 스마트 폰에 익숙하지 않은 편이다. 그래서 학교에서 컴퓨터를 사용하는 수업이나 과제를 할 때면 걱정도 앞선다. 이렇게 많은 고민 때문인지 최근에는 지나치게 예민해져서 아무것도 아닌 일을 가지고 괜히 짜증을 부리는 일도 많아졌다. 그런데 최근 이러한 고민들 중 나의 가장 큰 고민거리였던 외모에 대한 고민이 조금씩 사라지는 신기한 경험을 하고 있다.

얼마전 일이었다. 체육시간에 다른 반과 발야구 시합을 하고 있었는데, 나는 전날에 배가 심하게 아파 스탠드에 앉아 쉬고 있었고 우리반 친구 한 명도 몸이 아프다며 같이 앉아있었다. 그 때 우리 앞으로 다른 반 남자 친구가 스윽 지나갔는데 갑자기 옆에서 같이 쉬고 있던 내 친구가 나에게 말을 걸어왔다.

"야, 쟤가 너 좋아하는 것 같아." 내가 왜 그렇게 생각하냐고 물었더니 "그야 넌 예쁘고 똑똑하고 친절하잖아."라고 하는 것이었다. 평소 외모에 늘 자신이 없고 실망스러웠던 나는 처음으로 또래 친구에게서 예쁘다는 말을 들은 것에 잠시 당황하며 "아니야, 나 못생겼어."라고 답했다. 그러자 그 친구는 놀란 표정을 지으며 "아니야, 뭔 소리야. 너 예뻐!"라고 말하는 것이었다.

나는 집으로 돌아와 거울을 보았다. 그리고 거울 속 내 얼굴을 보며 예쁜 부분을 찾기 시작했다. 그리고 조금씩 나의 얼굴에도 예쁜 부분이 있다는 것을 알게 되었다. 이 사건 이후로 나는 더 이상 외모에 대한 고민을 심각하게 하지 않게 되었다.

우리는 살다 보면 수많은 고민을 하게 된다. 그리고 그 고민들의 대부분은 쉽게 해결되지 않는다. 하지만 그 고민들로 인한 답답함과 속상함을 줄일 수 있는 방법은 있다. 그것은 바로 내가 가진 고민들을 받아들이고, 그 고민들을 친구처럼 여기며 살아가는 것이다. 그러다보면 언젠가는 그 고민들이 눈 녹듯 사라지는 놀라운 경험을 하게 되는 날이 올 것이다.

공부! 공부! 공부!

인천부내초 5학년 이동규

『5학년 5반 아이들』이라는 책 속에는 고민을 가진 7명의 아이들이 등장한다. 7명 아이들 각자 다양한 고민들을 가지고 있는데, 그 중 가장 첫 번째로 나오는 아이가 바로 천재다. 천재의 고민은 '공부'에 대한 것이다. 천재처럼 나의 가장 큰 고민도 바로 공부이다.

나도 천재처럼 공부를 잘 하지 못한다. 나름 공부를 열심히 하기 위해 노력도 해보았다. 하지만 막상 공부를 열심히 해보려고 하면 마음대로 잘 안되고 또 집중도 잘 되지 않는다. 그러다보니 뭔가를 보긴 했어도 정작 머리에 들어오거나 남는 건 하나도 없다. 이런 일들이 반복되니 결국 내 머릿속에는 '공부를 왜 해야되지?'라는 물음만 남게 된다. 그리고 이런 나에게 어른들은 계속 "공부해라!", "공부해라!"라고 말한다. 나도 당연히 공부를 해야한다고 생각하지만 이런 이야기를 계속 들으면 왠지 더 안하고 싶어진다.

오늘도 학교에서는 공부는커녕 점심 시간과 쉬는 시간만 기다리다 온 듯 하다. 집에서도 마찬가지이다. 집에서 풀어야 하는 문제집은 많은데 문제집의 겉장만 이리저리 만지다 결국 쌓아놓고 말아버렸다. 살면서 평생 해야하는게 공부라던데 지금 나의 모습을 보면 미래에 난 백수가 될 것 같다는 두려움이 살짝 들기도 한다.

고민을 받아들이는 용기

인천송명초 5학년 정해윤

이 세상에 고민이 없는 사람은 존재하지 않을 것이다. 나도 오래 전부터 많은 고민을 가지고 있다. 하지만 나는 이런 고민들을 해결해 본 적이 별로 없다., 아니 솔직하게 이야기하자면 내가 가진 고민들 앞에서 겉으론 대수롭지 않은 척하고 속으로만 많은 걱정을 한다. 그래서 대부분의 고민들이 해결되지 못한 채 그냥 찜찜하게 남아있다 어느덧 기억속에서 사라지곤 했다. 하지만 영영 사라지지 않는 고민도 있다.

바로 성적에 대한 고민이다. 이 고민은 초등학교 1학년 때 시작되었다. 나는 시험을 볼 때, 또는 시험결과를 확인할 때마다 가슴이 떨리고 스트레스를 많이 받는다. 또 결과가 좋지 않으면 증상은 더욱 심해진다. 저학년 때 분수 관련 시험을 보고 6개나 틀려서 심하게 좌절했던 기억이 아직도 생생하다. 그런데 최근 5학년이 되어 이 스트레스가 다시 시작되었다. 조금 괜찮다고 생각한 성적이 다시 떨어지기 시작한 것이다.

아마 시험은 나의 삶을 계속 따라다닐 것이다. 어림잡아 지금부터 9년은 더 시달려야 한다. 그래서 나는 이 고민을 해결하기로 결심했다.

곰곰이 생각해본 결과, 성적에 대한 고민뿐만 아니라 대부분의 고민을 가장 잘 해결할 수 있는 방법은 아마도 누군가에게 나의 고민을 털어놓는 것이 아닌가 생각한다. 고민을 나 혼자 붙잡고 있으면 점점 힘들어진다. 고민을 해결하기 위해서는 용기가 필요하다. 처음에는 나의 고민을 누군가에게 이야기한다는 것이 힘들고 부끄러울수 있겠지만 시간이 지나면 그만큼 나의 고민의 무게는 줄어들고, 결국엔 해결하기도 쉬워질 것이다. 그래서 나는 앞으로 나의 고민을 부모님께 말씀드리고 같이 해결해보려고 한다.

우리 모두에게는 고민이 있다. 고민은 부끄러운게 아니다. 누구에게나 있으며 그것은 평범한 것이다. 그러니 숨기지 말고 당당하게 말할 줄 알아야 한다. 그것을 실천다면 우리의 삶은 더욱 행복해질 수 있을 것이다.

내 마음을 알아주세요

인천서화초 5학년 이세연

나에게는 학생이라면 누구에게 있을법한 숙제에 대한 고민이 하나 있다. 바로 부모님이 정해주신 아침 숙제와 오후 숙제이다. 그런데 나는 아침 잠이 많아 아침 숙제를 해결하는 게 너무 힘들다. 그래서 아침에 해결하지 못한 아침 숙제를 오후로 미루곤 하는데 그러다보니 오후에는 아침 숙제와 오후 숙제를 한번에 몰아서 하느라 더욱 힘들어진다. 그리고 이렇게 숙제가 많아지면 숙제가 더 하기 싫어져 숙제하는 내내 딴짓을 하게 되거나, 멍을 때리는 시간이 더 많아진다. 결국 노는 시간마저 밀린 숙제를 하게 되니 스트레스는 이만저만이 아니다.

그래서 나의 마음 속 깊은 곳에서는 막 소리를 지르고 있거나 울고 있는 나를 보기도 한다.

이런 나를 보면 엄마는 "그러게, 아침에 조금만 일찍 일어나서 숙제를 하면 되지."라고 말씀하신다. 하지만 나도 모르는 게 아니다. 그저 숙제보단, 그리고 밥 먹는 것 보단 아침 잠이 더 좋을 뿐이다. 그런데 이런 나를 더욱 열받게 하는 사람이 있다. 바로 동생이다. 엄마는 "동생은 일찍 일어나 아침 숙제를 저렇게 열심히 하는데 너는 뭐하는 거니?"라며 또 핀잔을 주신다. 이런 잔소리를 들으면 나는 크게 소리지른다. "엄마, 제가 숙제를 하기 싫어서 그런게 아니라 진짜 몸이 안 따라줘서 못 일어나는 걸 어떡하라는거에요!"라고...

물론 진짜로 소리지르는 것은 아니다. 그냥 마음 속의 소리일 뿐이다. 하지만 내 마음을 몰라주는 엄마와 동생, 그리고 나의 몸이 너무 밉다. 그나저나 이런 나의 고민을 얼른 해결하고 싶다.

"이 고민, 어떻게 풀어야 속이 시원해질까?"

작가가 될 수 있을까?

인천작전초 5학년 김유은

나의 장래희망은 작가입니다. 그 이유는 아는 언니랑 좋아하는 캐릭터에 대한 이야기를 나누다 그 언니가 지금 소설을 쓰고 있다는 이야기를 듣게 되었고, 우연히 언니가 쓴 소설을 보고 너무 재미있어 나도 소설을 쓰는 작가가 되어야 겠다는 생각을 하게 되었습니다. 하지만 나는 그닥 글을 잘 쓰는 편은 아닙니다. 그리고 그것이 요즘 나의 고민입니다.

얼마전 도덕 시간에 '고민'을 주제로 한 수업을 했는데, 그 때 나는 작가가 꿈이지만 글을 잘 쓰지는 못하는 것이 나의 고민이라고 이야기했습니다. 이어서 각자의 고민을 해결할 수 있는 방법도 함께 이야기했는데, 나는 '글을 많이 쓰고 많이 상상하기'라고 이야기 하였습니다. 물론 말을 그렇게 했지만 '정말 그렇게 하면 될까?' 라는 의심도 함께 있었습니다.

하지만 지금 나는 나의 고민을 해결하기 위해 조금씩 노력해 나가고 있습니다. 머릿속으로 글을 자주 상상하기도 하고, 얼마전에는 '5번 레인'의 작가이신 은소홀 작가님을 만나는 프로그램에 참여하여 작가가 어떤 사람인지 그리고 작가가 출판할 때 어떻게 하는지에 대해서도 알게 되었습니다.

솔직히 요즘 들어 작가는 재능이 조금은 있어야 하는 것 같다는 생각이 들고 있습니다. 그리고 지금의 나는 작가로서의 재능이 있는지 없는지도 아직 잘 모르겠습니다. 하지만 나는 계속 작가가 되고 싶고 아직은 다른 장래희망은 생각나지 않습니다. 지금처럼 작가가 되기 위한 다양한 경험도 많이 하고, 글쓰는 것도 많이 연습다보면 언젠가는 언니처럼 재미있는 소설도 쓸 수 있는 작가가 될 수 있겠죠?

제 4 장 **환경**에 대하여

<생각이 자라는 글쓰기>의 네 번째 주제 찾기 도서는 『라스트 베어』(해나 골드 글 / 레비 핀볼드 그림 / 이민희 역 / 창비교육)입니다.

『라스트 베어』는 기상학자인 아빠를 따라 여름방학 동안 북극권 베어 아일랜드에 머물게 된 열한 살 소녀 에이프릴과 야생 북극 곰의 우정과 모험을 그린 장편 동화입니다. 이름과 달리 곰이 한 마리도 살지 않는다는 베어 아일랜드를 홀로 탐색하던 에이프릴은 굶주리고 상처 입은 야생 북극곰을 운명처럼 만나게 되죠.

작가는 야생 동물과 어린아이의 우정이라는 자칫 비현실적으로 느껴질 수 있는 이야기를 의미 있게 풀어내고 있습니다. 에이프릴은 야생 동물의 위험성, 동물과 교감하는 방법을 누구보다 잘 알고 있기에 곰에게 섣불리 다가가지 않습니다. 곰이 경계를 풀고 스스로 다가올 때까지 시간을 두고 기다립니다. 오감으로 소통하려는 에이프릴의 노력에 곰도 마음을 열게 되고, 곰과 에이프릴은 베어 아일랜드 곳곳을 함께 누비며 서로에게 둘도 없는 친구가 됩니다. 곰의 본성을 존중하고 진심으로 소통하려 애쓰는 에이프릴의 모습은 다른 생명과 공존하며 살아가기 위해 인간이 어떤 태도를 지녀야 하는지를 생각하게 합니다.

기후 위기는 오늘날 인류가 직면한 가장 심각한 문제입니다. 많은 사람들이 빙하가 녹아버려 생존을 위협받는 북극곰과 해수면 상승으로 사라질 위기에 놓인 남태평양의 섬들을 안타까워합니다. 하지만 기후 위기에 대응하기 위해 구체적으로 무엇을, 어떻게 해야 하는지에 대해서는 무관심한 경우가 많습니다. 그러나 에이프릴은 걱정만 하고 행동하지 않는 사람들과는 달랐습니다. "내가 뭐라도 할게. 약속해."(161면)라고 다짐한 뒤 해변에 떠밀려 온 쓰레기를 줍고, 곰을 고향에 데려다주기 위해 생사를 건 모험을 떠나게 됩니다.

이번 <생각이 자라는 글쓰기>는 에이프릴처럼 우리 지구 속 환경에 대해 여러분이 생각하고 있는 고민이나 생각들 가운데 하나를 꺼내어 이야기로 만들어 보는 것입니다.

지구온난화를 막기 위해

인천부내초 5학년 박재인

우리가 살고 있는 지구의 심각한 문제 중 하나인 '지구온난화'에 대해 들어보셨나요? 지구온난화는 지구의 온도가 높아지는 현상을 말하는데, 이 지구온난화는 지구에 살고 있는 모든 생명체에게 매우 위험한 영향을 미칩니다.

지구온난화는 지구의 생태계를 어지럽혀 식물 그리고 우리가 먹는 농작물들의 성장을 방해합니다. 그리고 동물들이 살아가는 터전을 파괴시켜 많은 동물들을 멸종위기종으로 만들기도 합니다. 지구온난화는 식물과 동물에게만 영향을 미치는 것이 아니라 인간에게도 많은 영향을 끼칩니다. 지구온난화로 인해 사람들은 심각한 더위속에서 살아가야 하고, 또 지구온난화가 일으키는 자연재해로 인해 많은 사람들이 다치거나 죽기도 합니다. 하지만 사람들은 이런 지구온난화가 주는 경고에도 불구하고 편리함에 눈이 멀어서 지구온난화의 원인이 될 수 있는 일회용품을 마구 사용하기도 하고, 동물들을 무자비하게 살해하고, 공장들을 세워서 탄소를 배출시킵니다. 지구온난화가 우리의 생태계에 어떤 영향을 미치는지 알고 있지만 그냥 무심코 지나가 버린 탓에 지구온난화는 오늘도 더 심각해지고 있습니다. 이런 상황이 계속된다면 나중에는 식물과 동물의 멸종을 걱정할 것이 아니라 인간이 멸종되는 것을 걱정하고 두려워 해야 할 것입니다. 그러므로 우리는 지금이라도 이런 지구온난화 문제에 관심을 기울이고, 이 문제를 해결하기 위한 노력을 해야 합니다. 그렇다면 당장 우리가 지구온난화를 막기 위해 실천할 수 있는 일은 무엇이 있을까요?

우선 일회용품 사용을 줄여야 합니다. 일회용품은 만드는 과정에서 지구온난화의 주범인 탄소를 많이 배출시킵니다. 또한 잘 썩지 않아 지구의 생태계를 파괴하는 가장 큰 원인이 됩니다.

다음으로는 재활용을 적극적으로 해야 합니다. 새로운 물건을 많이 만드는 것보다는 이미 만들어진 물건을 잘 활용하고, 재활용함으로써 탄소의 배출을 줄여야 합니다. '아나바다'라는 말을 다 기억하실겁니다. '아껴 쓰고, 나눠 쓰고, 바꿔 쓰고, 다시 쓰고'를 잘 실천한다면 지구온난화를 조금은 막을 수 있습니다.

지금 우리가 살아가는 지구는 우리뿐만이 아니라 우리의 후손들에게 물려줘야 할 삶의 터전입니다. '나 하나쯤이야'라는 생각이 아닌 우리 모두가 함께 사는 세상이라는 생각으로 우리의 지구를 스스로 지키고 가꿔 나갑시다.

기후변화에게서 도망쳐!

인천작전초 5학년 김유은

기후변화로 인해 봄과 가을이 사라져가고 있다. 나는 안그래도 더위를 많이 타는 편인데 날씨가 점점 더워져 이제는 손 선풍기나 목 선풍기가 없으면 아예 버티지 못할 것 같다. 그렇다면 왜 이렇게 지구의 날씨가 점점 더워지는 것일까? 그것은 바로 '기후변화' 때문이다.

많은 사람들이 '기후변화'에 대해 이야기한다. 기후변화로 인해 기온이 상승하고, 날씨가 이상하게 변한나고 말한나. 하시만 이러한 기후변화는 결국 사람으로 인해 생긴 문제이다. 사람으로 인해 생긴 문제이니 해결도 사람이 해야 한다.

아까도 이야기했지만 요즘 날씨가 심상치 않다. 기후변화로 인해 기온이 상승한다는 이야기는 많이 들었지만 내가 몸으로 직접 느낄 수 있는 정도로 더워질 것이라고는 생각해 본 적이 없다. 그 정도로 기후변화가 우리의 일상에 가깝게 왔다는 것이다.

이 더위가 얼른 끝났으면 좋겠다. 그러기 위해선 기후변화를 막기 위한 노력도 함께 생각해야 한다. 그래서 요즘은 기후변화에 대해 생각도 많이 하는 편이고, 기후변화에 대한 정보도 많이 찾아보고 있다. 물론 혼자서 해결할 수 있는 문제는 아니다. 하지만 나부터라도 기후변화에 관심을 가지고 조금씩 노력해 나간다면 조금은 달라질 수 있을거란 생각을 해본다.

지구의 골칫덩어리, 쓰레기와 미세먼지

인천송명초 5학년 정해윤

누가 나에게 '환경오염'하면 가장 먼저 떠오르는 이름이 무엇인가를 묻는다면 '쓰레기'와 '미세먼지'라고 답을 할 것이다. 왜냐하면 쓰레기는 지구에 쌓여 우리의 환경을 망치기도 하고, 여러 생물들의 터전을 파괴시키기 때문이다. 또한 미세먼지는 식물들의 성장을 방해하고, 동물과 인간들의 호흡기관에 들어가 수명을 단축시킨다. 그런데 곰곰이 생각해보면 이러한 쓰레기와 미세먼지는 결국 인간이 만들어낸 결과이다. 우선 쓰레기는 인간들이 버린 물건 때문에 생긴 것이고, 미세먼지 역시 인간들이 만들고 지은 자동차나 공장 때문에 생긴 것이기 때문이다.

나는 엄마와 마트에 갈 때 항상 가지고 다니는 장바구니가 있다. 그 장바구니에는 'SAVE OUR LIFE'라는 문구가 인쇄되어 있다. 그리고 그 글자 옆에는 동물 그림이 그려져 있다. 평소에는 별로 신경을 쓰지 않았는데, 가만히 생각해보면 우리가 무심코 파괴한 환경 때문에 이 지구가 고통을 받고 있다는 중요한 의미를 담고 있었던 것 같다. 그렇다면 이렇게 우리가 계속해서 환경의 중요성을 무시하고 지구를 죽게 놔두면 어떤 일이 벌어질까? 내가 가장 걱정하는 것은 바로 '해수면 상승'이다. 우리가 파괴해버린 지구는 몸살을 앓을 것이고, 그리고 그 결과 지구의 기온이 이상해져 지구의 바다가 높아지는 해수면 상승이 일어날 것이다. 해수면 상승이 일어나면 지구상의 많은 생물들은 살 곳을 잃어 결국 죽게 될 것이고 인류도 같이 멸망하게 될 것이다. 그렇다면 우리는 이렇게 지구가 죽어가는 것을 방관만 하고 있어도 될까?

이미 우리가 살고 있는 지구의 많은 사람들은 이러한 문제의 심각성을 알고 다양한 실천을 하고 있다. 그리고 이 작은 실천들이 모여 지구를 살리는 큰 힘이 된다. '티끌 모아 태산'이라는 말이 있다. 에어컨을 켤 때 창문을 닫는 것, 물건을 살 때 환경을 위한 일인지 고민하면서 사는 것, 양치를 할 때 양치컵을 사용하는 것과 같은 작은 실천만으로도 우리는 지구를 죽음에서 구할 수 있다.

인류의 멸망은 먼 미래가 아닐 수 있다. 나 하나가 아닌 우리라는 마음으로 지구를 살리기 위한 작은 실천이 필요한 때이다.

폭우가 계속 오면

인천삼목초 5학년 박수아

나는 가끔 폭우에 대해 생각을 할 때가 있다. 폭우 속에 물놀이 장이 된 놀이터에서 친구들과 비를 맞으며 재미있게 노는 상상을 하기도 하지만 때론 폭우 때문에 퇴근하고 돌아오시는 아빠가 혹시 사고라도 당하지 않을까하는 걱정을 할 때도 있다. 그런데 최근 이러한 폭우에 대해 조금 더 심각한 고민을 하게 된 사건이 있었다.

어느 날이었다. 저녁 식사를 하고 8시 뉴스를 봤는데, 괴산이라는 지역에서 폭우로 불어난 물 때문에 댐이 넘쳐 2명이 사망하고, 6,000명이 넘는 사람들이 대피를 했다는 것이다. 그리고 이 폭우 때문에 KTX를 비롯한 열차와 도로가 마비되고, 심지어 산사태가 일어나 많은 사람들이 다치거나 목숨을 잃었다.

보통 폭우는 어마어마한 양의 수증기가 장마전선과 저기압을 만났을 때 발생한다고 한다. 그런데 바로 이 수증기가 지구온난화와 관련이 있다. 최근 지구온난화로 인해 지구의 기온이 1.1도가 상승했다. 지구의 기온이 1도 상승하면 공기 중의 수증기는 7% 늘어나게 된다. 이 수증기는 무게로 8,900억 톤이 넘는 양이다. 8,900억 톤이 넘는 물이 대기로 갔고, 그 수증기가 폭우가 되어 집중적으로 우리나라에 떨어진 것이다. 그리고 최근 이러한 폭우는 우리 나라뿐만 아니라 전 세계에서 일어나고 있는 현상이다. 최근에는 중국에서 아파트 3층 높이까지 물이 차오르는 엄청난 폭우가 쏟아지기도 했다. 결국 이러한 폭우는 단순한 자연재해가 아니라 인간이 만들어낸 지구온난화로 인해 생겨났다는 것이다.

'폭우'는 지구가 인간에게 주는 경고이다. 단순히 비가 많이 오는 현상이 아니라 지구가 많이 아프니 어서 빨리 지구를 파괴하는 일을 멈추라는 지구의 경고인 것이다. 그렇다면 우리는 무엇을 해야 할까? 나는 일단 작은 일부터 실천하려고 한다. 양치할 때 물을 잠그기, 필요 없는 물건을 사지 않기, 재활용을 잘하기와 같이 내가 당장 실천할 수 있는 일을 먼저 할 것이다.

'나 하나쯤이야!'라는 마음으로 아무 것도 하지 않는 것보다 '나 하나라도!'라는 마음가짐으로 작고 사소한 행동이라고 꾸준히 실천해나가는 마음이 우리의 지구를 위해 더욱 필요하다.

라스트 베어, 그리고 사랑

인천왕길초 5학년 신예원

이번 달 글쓰기 주제 찾기의 책은 『라스트 베어』이다. '라스트 베어(The Last Bear)'는 마지막 곰이라는 뜻일텐데, 본격적으로 책을 읽어보기 전 작가가 책의 제목을 왜 '마지막 곰'이라고 했을까 하는 의문을 가져봤다.

『라스트 베어』의 가장 기억에 남는 장면은 236쪽이다. 그 중 가장 인상 깊었던 문장은 '에이프릴은 곰을 꽉 잡고 연거푸 입 맞췄다. 마음속에서 무언가 느껴졌다.'라는 부분이었다. 나는 '무언가 느껴졌다.'에서의 '무언가'가 무엇일지 곰곰히 생각을 해보았다. 내 생각에 에이프릴이 마음속에서 느낀 '무언가'는 바로 '사랑이 아닐까?'라는 생각이 들었다.

사랑이란 것은 그 어떤 것으로도 표현하기 참 어려운 감정인 것 같다. 단순하게 생각하면 엄청 좋아하는 것, 애정, 아끼고 소중히 여기는 것 등으로 표현할 수 있다. 하지만 가족 안에서의 사랑을 생각해보면 가족끼리에서 생기는 사랑은 누가 알려주지 않아도 그리고 사랑이라는 단어를 몰라도 자연스럽게 알게 되는 그런 감정인 듯 하다.

다시 『라스트 베어』로 돌아가보면 이 책에서는 지구온난화를 주제로 다루고 있다. 앞서 '사랑'이라는 감정에 대해 이야기를 했는데, 나는 '사랑'이라는 감정과 '지구온난화'는 아주 밀접한 관련이 있다고 생각한다.

지금 우리의 지구는 지구온난화 때문에 많은 고통을 받고 있다. 그리고 이러한 지구온난화 문제가 해결되기 위해서는 지구상의 많은 사람들이 이 문제에 관심을 기울여야 한다. 나는 관심을 갖는 것 자체가 사랑이라고 생각한다. 좋아하니까 관심을 갖는 것이고 좋아하니까 사랑이라는 감정을 느끼는 것이다. 그래서 나는 우리가 이런 지구온난화에 관심을 가지고 지구를 사랑하기 위해서는 우리의 지구를 가족처럼 대해야 한다고 생각한다. 굳이 많은 말을 하지 않아도 관심을 가지고 서로를 아껴주는 가족처럼 말이다.

나는 지구온난화에 관심을 가지기 위해서 식물을 키워봐야겠다고 생각했다. 그래서 얼마전부터 조그만 방울토마토를 심어 키우고 있다. 그리고 내년에는 또다른 식물을 키워보기로 결심했다. 나의 이런 작은 결심들이 우리의 지구를 살리는 조그만 힘이 되기를 바라면서 말이다.

제5장 **상상**에 대하여

<생각이 자라는 글쓰기>의 다섯 번째 주제 찾기 도서는 『운동장의 등뼈』 (우미옥 글 / 박진아 그림 / 창비)입니다.

『운동장의 등뼈』는 어느 날 갑자기 학교 운동장이 거인의 모습으로 나타나고, 밤마다 집 안 물건들이 동물로 바뀌고, 기르던 개가 사람으로 변신하는 등 기발한 사건을 통해 평범한 일상을 신비한 모습으로 재탄생시킨 일곱 편의 동화를 담았습니다.
『운동장의 등뼈』 속 이야기는 모두 재미있는 상상을 바탕으로 전개됩니다. 하지만 이 상상은 단순히 낯설고 새로운 것을 보여주기 위해서만 발휘되지는 않습니다. 작가는 우리가 아무렇지 않게 여기고 그냥 지나치기 쉬운 것들 속에서 현실의 문제를 발견해 이를 눈앞에 펼쳐 보이고 있는 것이지요.

이번 <생각이 자라는 글쓰기>는 『운동장의 등뼈』 속 각 이야기처럼 우리 주변에서 쉽게 지나치기 쉬운 다양한 사물 혹은 장면과 상황들을 여러분의 재미있는 상상으로 바꾸어 이야기로 만들어 보는 것입니다. 평소 너무나 당연하게 생각했던 것들을 재미있고 기발한 상상으로 채워보는 건 어떨까요?

오싹오싹 꽃무늬 옷

인천삼목초 5학년 박수아

가을에 입을 옷을 사기 위해 모처럼 엄마와 함께 백화점에 갔다. 내가 평소에 비싼 옷을 많이 사는 편이어서 이번에는 조금 저렴한 옷을 고르기로 했다. "마음에 드는 옷을 찾았어! 너한테 잘 어울릴 거야, 이 옷 좀 봐봐!"라며 엄마가 말했다. 나는 얼마나 예쁜 옷일까 기대하며 엄마가 있는 쪽을 쳐다보았다. 하지만 나의 기대와는 달리 엄마가 고른 옷은 핑크색 배경에 꽃무늬가 가득 그려진 촌스런 옷이었다. 나는 그 옷을 보자마자 너무 당황해서 "엄마 왜 그래. 장난이지? 재미없어."라고 말했다. 하지만 엄마는 "화려하고 예쁜 옷인데 너야말로 왜 그러니?"라고 핀잔을 주셨다.

엄마와 말다툼하는 동안, 나는 점점 짜증이 났다. 나는 무난하게 흰색과 검은색이 들어간 옷을 고르려고 했다. 내 취향을 존중한다면서 이런 이상한 옷을 골라준 엄마가 미웠졌다. 그래서 나도 모르게 "엄마는 내 의견을 존중해 준다면서 왜 그래!"라며 소리를 버럭 질러버렸다. 내 소리를 듣고 놀란 엄마도 화가 났는지 상의도 없이 바로 옷을 구매해 버렸다.

엄마는 집에 오자마자 "빨아 줄 테니까 모레 학교에 입고 가. 알았지?"라고 말하며 마치 옷과 관련해 아무 일도 없었던 것처럼 구셨다. 나는 또다시 화가 났다. 엄마가 나를 무시하는 기분이 들었기 때문이다. '내가 가만히 있을 것 같아?' 누가 이기는지 한 번 해보자.'라고 속으로 생각하며 화난 눈으로 못마땅한 옷을 잔뜩 노려보았다.

다음 날 새벽, 새로 산 옷을 학교에 입고가야 한다는 스트레스 때문인지 갑자기 잠을 깨버렸다. '새로 산 옷을 안에 입고 겉에 잠바를 입으면 아무도 나의 새 옷을 보지 못 할 것이다. 하지만 교실에서는 잠바를 벗어야 하고, 그러면 친구들이 내 촌스러운 새 옷을 보게 될 텐데 그건 어떻게 하지?'라는 걱정이 슬슬 밀려오기 시작했다. 그 때 번득이는 아이디어가 떠올랐다. '그래, 등교할 때는 일단 새 옷을 입고 가는 척 했다가 학교 화장실에서 몰래 가져간 옷으로 갈아입는거야. 그리고 새로 산 촌스런 꽃무늬 옷은 화장실 변기에 버리지 뭐.' 나는 야심찬 계획에 만족하며 다시 잠을 청했다.

그날 아침, 나는 계획대로 "엄마! 새로 산 옷 오늘 입어도 돼?"라고 물었고, 엄마는 흐뭇한 표정으로 "응"이라고 짧게 대답했다. 나는 새 옷을 입고 학교에 등교한 후, 화장실에서 옷을 갈아입었다. 그리고 계획대로 옷을 변기에 버리며 '다시는 이 촌스러운 옷을 입지 않아도 될 거야!'라고 생각했다.

하교 후, "그 옷은 어디서 났는데?"라며 엄마가 예리한 눈빛으로 물었다. "급식시간에 어떤 3학년 동생이 옷에 국물을 묻혔는데 마침 가방에 옷이 한 개 더 있어서 옷을 갈아입었어." 나는 엄마의 눈치를 보며 대충 얼버무렸다. 엄마는 정말 속은 건지, 아니면 그냥 속아준 건지 더 이상 옷에 대해 묻지 않으셨다. 하지만 20분쯤 뒤에 "그럼 새 옷은 어떻게 했는데?"라고 엄마가 다시 물었다. 나는 예상했던 질문인지라 당황한 기색 하나 내지 않고 "담임선생님이 빨아서 준다고 하셨어"라고 준비한 말을 내뱉었다. 하지만 문제는 그 다음부터였다.

다음 날 집에 택배가 하나 도착했고, 엄마가 택배박스를 열어 보려고 했다. 나는 내가 주문한 책인 줄 알고 엄마에게서 택배박스를 뺏어 열어 보았다. 그런데 박스를 열자 나는 너무 놀라서 소리를 지르고 뒤로 넘어졌다. 박스 안에는 내가 화장실 변기에 버렸던 꽃무늬 옷이 들어있지 않은가! 내 비명 소리를 듣고 온 엄마는 "선생님이 생각보다 빨리 보내주셨다"며 좋아했다. 엄마는 곧바로 남은 설거지를 하러 갔지만 나는 옷이 젖어있는 것을 눈치챘다.

그 후로 나는 여러번 촌스런 꽃무늬 옷을 없애버리기 위해 노력했다. 하지만 어떻게 해도 꽃무늬 옷은 사라지지 않았다. 꽃무늬 옷을 찢어버리면, 다음 날 꽃무늬 옷은 멀쩡하게 빨래 건조대에 걸려 있었다. 또 흙 속에 묻으면 꽃무늬 옷은 흙이 묻은 채로 책상 의자에 걸려 있었다. 우편으로 중국에 사는 사촌에게도 보내봤지만, 수신 거부로 꽃무늬 옷은 나에게 돌아와 있었다. 그 후에도 여러 가지 방법으로 계속해서 꽃무늬 옷을 버리려고 시도했지만, 늘 항상 촌스런 꽃무늬 옷은 보란 듯이 나를 다시 찾아왔다.

나는 깊은 고민 끝에 꽃무늬 옷을 불태워 버리기로 했다. 모두 잠든 밤 12시에 가스레인지에 불을 켜고 옷을 태우려던 순간, "안 돼!"라는 꽃무늬 옷의 간절한 외침이 들렸다. 나는 소름이 끼쳐서 몸을 떨었다. "나는 네가 들고 있는 꽃무늬 옷이야. 제발 나를 태우지 말아줘! 나는 너랑 친하게 지내고 싶어!"라는 소리가 들렸다. 몇

분 뒤, 나는 정신을 차렸다. 한 손에는 꽃무늬 옷을 쥐고 있었고, 가스레인지에는 불이 켜져 있었다. 나는 내가 들었던 꽃무늬 옷의 외침을 믿기로 하고 꽃무늬 옷을 서랍 깊은 곳에 보관했다. 그 후로 엄마는 내가 알던 평소의 엄마로 돌아왔고, 나의 생활은 더할 나위 없이 행복해졌다.

하지만 나는 가끔 꽃무늬 옷이 나를 향해 웃는 꿈을 꾼다. 그 꿈이 너무 생생해 소름이 돋기도 한다.

내가 하는 상상

인천부내초 5학년 정선우

나는 상상하는 것을 좋아한다. 상상은 내가 원하는 대로, 내가 생각하는 대로 이야기를 만들어 낼 수 있기 때문이다. 한번은 이런 상상을 해보았다.

'만약 집이 하늘에 떠 있다면 어떨까?'

한번 상상이 꼬리를 무니 계속해서 연결된 생각이 떠올랐다. '집이 하늘에 있다면 어떻게 올라가지?' 일단 집이 하늘에 있다면 올라갈 것이 걱정이 되었다. 하늘까지 이어진 계단을 이용해서 올라가면 너무 힘들 것 같고, 사다리로 올라가면 너무 위험하고 무서울 것 같다는 생각이 들었다. '그럼 배달음식을 시키면 어떻게 될까?' 아마 음식을 배달하시는 분이 내가 사는 집까지 올라오시지는 않을 것 같고, 바닥에 두고 가실 것 같은 생각이 들었다. '그럼 나는 그 배달음식을 가지러 저 아래까지 가지러 가야 하는 것일까?' 갑자기 너무 귀찮고 힘들 것 같다는 생각이 들었다. 음식을 집까지 가지고 오는 동안 이미 음식이 차갑게 식을 것 같았다. 집이 하늘에 있다면 아마도 배달음식은 포기해야겠다는 생각이 들어버렸다. 또 생각이 꼬리를 물어버렸다. '내가 좋아하는 운동은 어떻게 할 수 있을까?', '하늘에서 살다가 새를 보면 어떻게 하지?', '그런데 그 새가 독수리라면?', '독수리가 창문을 깨고 들어올까?' 물론 상상이니 실제로 이런 일이 일어날 가능성은 없지만 그래도 계속해서 상상의 날개를 펼쳐보았다. 일단 집이 하늘에 있으면 굳이 운동을 하지 않아도 충분히 건강해 질 것 같았다. 왜냐하면 하늘에 있는 집을 올라가는 동안 충분이 근육을 많이 써야 하기 때문이다. 그리고 집이 하늘에 있으니 창문을 통해 하늘을 날아다니는 새도, 그리고 구름도 가까이서 볼 수 있을 것 같았다. '구름이 내 눈 앞에 있으면 얼마나 좋을까?' 그리고 아침에 일어나서 창문을 열면 맑고 시원한 바람이 불어 아침부터 상쾌한 기분을 느낄 수 있어 좋을 것 같다는 생각이 들었다. 이런 저런 상상을 하다보니 정말로 하늘에 있는 집에서 살아보고 싶다는 생각이 들었다.

상상이란 언제나 즐거운 일이다.

엄마가 사라진다면

인천만수초 5학년 임후연

일어나보니 아침이었다. 여느 때처럼 이런 저런 잔소리를 하며 나를 귀찮게 깨우시던 엄마가 보이지 않았다. 처음 잠깐은 따뜻한 이불속에서 꼼지락대며 이 평화를 즐겼지만 시간이 지나니 갑자기 배가 고파졌다. 매일 식탁위에는 엄마가 차려 놓은 아침밥이 있었다. 하지만 오늘 아침은 달랐다. 나는 배가 너무 고파 엄마를 기다리지 않고 그냥 혼자 차려먹기로 결심했다. 할 줄 아는 건 없었지만 이것 저것 차리다보니 그럭저럭 괜찮은 아침 밥상이 차려졌다. "우웩" 맛이 없었다. 이건 사람이 먹을 만한 게 아닌 것 같았다. 갑자기 엄마의 아침밥상이 그리워졌다. 그러다 문득 불안한 생각이 들기 시작했다.

'엄마는 도대체 어디에 있는 걸까?' 나는 불안한 마음에 이런 저런 상상을 하게 되었다.

1. 우리 엄마가 납치를 당했다.

엄마가 납치를 당했다면 집에 누군가가 들어온 흔적이 있어야 하는데 집을 이리 저리 돌아다니며 살펴보았지만 그런 흔적은 보이지 않았다. 그리고 '우리 엄마? 절대 순순히 끌려갈 사람이 아니지.' 만약 납치를 당했다면 분명 엄청나게 시끄러운 소리가 났을텐데 내

59

가 아무리 잠을 자고 있어도 그 정도 소리에 깨지 않을 사람은 없을 것이라는 생각이 들었다. 그렇다면 첫 번째 상상은 PASS!

2. 날 버리고 나가버려셨다.

끔찍한 상상이었다. '설마... 그럼 나를 왜 낳았을까?'라는 생각이 들었다. '맞아, 이건 아닐거야. 엄마는 나를 너무 사랑하거든...' 그렇다. 우리 엄마는 그렇게 사랑하는 딸을 그냥 버리고 갔을 리가 없다는 생각이 들었다. 그렇다면 두 번째 상상도 PASS!

3. 몰래카메라?

이 모든 상황이 몰래카메라일 수 있다는 생각이 문득 스쳤다. 하지만 평소 장난기 많은 아빠라면 이 상황이 충분히 가능성 있지만 엄마는 그런 사람이 아니다. 하지만 그래도 혹시 모르니 집 안을 구석구석 살펴봐야겠다는 생각이 들었다. 하지만 집 안을 아무리 뒤져보아도 이건 몰래카메라는 아닌 것 같다. 그럼 세 번째 상상도 PASS!

4. 이건 꿈이다!

아무래도 이게 가장 설득력 있는 이야기같다. 이 모든 것이 꿈이라야 말이 된다. 우리 엄마는 납치될 사람도, 그렇다고 사랑하는 딸을 그냥 버리고 나가버릴 사람도, 나에게 이런 장난을 칠 사람도 아니다. 그렇다면 이 모든 것이 나의 꿈 속에서 일어나고 있는 일이다.

그래. 난 지금 꿈을 꾸고 있는 중이다.

에어바운스 학교

인천부내초 5학년 이수아

나는 평소 상상을 많이 하는 편이다. 특히 책을 읽고 나서 혹은 영화를 보고 나면 나의 상상은 더욱 커지곤 한다. 상상 속에서는 무엇이든지 될 수 있고, 무엇이든지 할 수 있다. 깊고 투명한 바닷물 속을 유유히 헤엄치는 돌고래가 될 수도 있고, 울고 웃는 책 속의 주인공이 될 수도 있다. 얼마 전에는 재미있는 상상을 해보았다.

'우리 학교가 에어바운스 학교라면'

나는 학교를 정말 좋아한다. 하지만 학교 안에는 나를 불편하게 하는 몇 가지가 있다. 바로 계단과 의자 그리고 책상이다.

첫 번째, 계단이다. 매일 등교할 때마다 나는 수많은 계단을 마주치게 된다. 3층까지는 그럭저럭 올라가지만 4층에 도착할 때 즈음에는 등에서 땀이 흐르고 숨이 찬다. 하지만 만약 학교 계단이 에어바운스로 되어 있다면 1층 계단에서 점프를 해서 2층 계단으로, 2층 계단에서 점프를 해서 순식간에 교실이 있는 4층까지 올라갈 수 있다. 혹시나 점프를 하다 넘어지더라도 에어바운스에서는 다칠 염려가 없다.

두 번째, 의자와 책상이다. 우리 집 의자는 방석을 깔아 놔서 푹신한 반면 학교 의자는 딱딱하고 방석도 가져가지 못하니 너무 불편하다. 하지만 에에바운스 의자라면 이야기가 달라진다. 앉으면 푹신푹신, 내 몸을 잘 감싸주니 공부할 맛이 충분히 날 것 같다. 또 책상도 의자와 마찬가지로 너무 딱딱하다. 팔을 책상에 오래 올려놓고 있으면 팔이 욱신거릴 정도이다. 책상도 에어바운스로 되어 있으면 팔을 오래 올려놓아도 불편하지 않고 공부도 왠지 더 잘 될 것 같다.

나는 평소 수학에 자신이 없다. 특히 공식이 있는 수학문제의 경우는 더 그렇다. 이런 문제를 받으면 머리가 멍해지고 방금전까지도 외우고 있던 공식이 지우개로 지워진 것처럼 생각이 나질 않는다. 아마도 긴장을 너무 많이 해서 그런 것 같다. 이럴 때야말로 나에겐 에어바운스 의자와 책상이 꼭 필요하다. 푹신푹신한 에어바운스 의자와 책상이 나의 긴장을 풀어주고, 나는 편안한 마음으로 문제를 풀 수 있을테니까...

상상은 언제나 날 웃겨 주는 좋은 친구인 것 같다. 하지만 때로 상상이 너무 지나치면 곤란해질 때가 있기도 하다. 내가 사는 세상은 현실이니까. 그래도 여전히 상상은 좋다.

책들의 수다 시간

인천송명초 5학년 정해윤

이곳은 어느 학원, 짧디 짧은 주말이 끝나고 아이들이 왔다. "얘들아~ 숙제는 해왔지? 숙제 검사하게 책 내라~." 선생님의 따듯하면서도 무서운 말씀이 끝나셨다.

"어후... 무거워라." 수빈이가 말했다. "뭘 가지고 다니길래 그러는 거야?" 호기심 왕 지민이가 말했다. "그게, 리코더, 수학학습지, 교과서, 책...." "넌 가방이 무슨 도라에몽 주머니냐? 뭐가 그렇게 들어가는 거야?"

"조용! 빨리 내세요."

"맞아~" 선생님의 말씀에 하연이가 말했다.

그렇게 아이들의 숙제 책이 쌓여간다. 아이들의 숙제 책이 기지개를 하며 입을 연다.

"다들 오랜만이야~" 지민 책이 말했다.

"그러게~" 수빈이의 책이 말했다. "이게 얼마만이야, 얘들아!" 하연이의 책도 덩달아 말하였다.

"자~ 수업 시작 할께요." 아이들의 수업시간은 책들의 수다 시간이다. 책들은 기쁜 마음으로 그동안의 이야기를 털어낸다.

책들에게 1일이란 1개월과 다름없기에, 그들은 2개월이란 긴 시간이 지난 후 만난 오랜 친구와도 같다.

"너네 주인 아이는 어때?" 하연 책이 당당하게 묻는다.

"아니~내 주인 지민이는 낙서를 어찌 그렇게 하는지... 내 얼굴 좀 봐, 메이크업이라면서 덕지덕지 마커펜 칠 해놨어..." "정말? 어디 봐봐." 수빈 책이 다가간다. "와... 같은 얼굴 맞아? 완전 BEFORE, AFTER가 다른데?" 수빈 책이 놀라며 말했다.

"수빈이는 어때?" 하연 책이 말했다. "수빈이는 가방에 뭐가 그리 많이 들었는지, 하루하루가 너무 갑갑해. 마치 유압프레스 같다니깐? 죽을 것 같더라고." "수빈이도 만만치 않은 아이였구나~." 얼굴이 불편한 지민 책이 말한다.

"모두들 운이 없네~." 하연 책이 잘난체하며 말했다. "뭐? 그럼 하연이는 어떤데?" 화난 지민 책이 말했다. "우리 하연이는, 낙서도 안 하고 가방도 깨끗해~ 얼마나 좋은데." "정말? 부럽다." 불운한 두 책이 말한다.

"지민이는 공부도 안 하나봐. 항상 내 몸에 비만 내린다니깐? 낙서만 해서 그런가 봐. 그림도 못 그리면서 말이야." 우울한 표정으로 지민 책이 말을 꺼낸다. "그래~? 그래도 우리 수빈이는 공부를 열심히 해서, 내 몸엔 항상 함박눈이 내리는데?" "우리 하연이는..." 하연 책이 말을 하려는 순간 커다란 손이 덥석 하연 책을 가져갔다.

"이제 숙제 채점을 해 볼까?" 선생님이 숙제 채점을 하려고 책을 가져갔던 것이었다. 그렇게 선생님은 하연, 수빈, 지민이의 책을 채

점하곤 돌려주실 것이다.

책들은 다시 험난한 하루. 아니, 1개월을 보낼 것이다. 책들은 항상 빌고 빈다. 자기들을 소중히 다뤄달라고..

제6장 **쓸모**에 대하여

<생각이 자라는 글쓰기>의 여섯 번째 주제 찾기 도서는 『일수의 탄생』(유은실 글 / 서현 그림 / 비룡소)입니다.

『일수의 탄생』은 한국어린이도서상, IBBY 어너리스트 수상작가인 동화작가 유은실의 장편동화입니다. 이번 작품은 장편으로는 3년 만에 내놓는 동화로, 행운의 7이 두 개나 겹치는 7월 7일생 일수의 독특하고도 웃음꽃 터지는 성장 이야기를 담았습니다. 동화로서는 파격적으로 주인공의 어린 시절만을 그리지 않고, 태어날 때부터 삼십 대 청년이 된 일수의 이야기를 우스꽝스럽게 담아내고 있습니다. 하지만 그 웃음 뒤에는 끊임없이 자기가 누구인지를 고민하고 알아가는 일수의 모습을 엿볼 수 있습니다.

이번 <생각이 자라는 글쓰기>는 『일수의 탄생』 속 일수의 이야기처럼 '나의 쓸모가 무엇일까?'를 열심히 고민해 보는 것입니다. 정말 내가 되고 싶은 것은 무엇일까? 나의 부모님은 내가 어떤 사람이 되길 바라는가? 나의 쓸모와 부모님이 생각하는 나의 쓸모는 같은가? 등 여러분의 쓸모, 장래 희망, 진로 등에 대한 솔직한 고민을 이야기로 담아주세요.

동규의 탄생

인천부내초 5학년 이동규

이번 주제 도서인 『일수의 탄생』은 정말로 재미있는 책이었다. 왜냐하면 책 속의 일수 모습이 진짜로 내가 커 가는 모습 같았기 때문이다.

나도 일수처럼 한글 받아쓰기 100점을 받아본 적도 있고, 0점을 받은 적도 있다. 또 7살 때 가족들이랑 처음으로 노래방에 가보고 놀이동산도 갔다. 8살 때 아빠랑 낚시를 처음으로 하고 3학년 때부터 영어 학원을 가고 그때부터 공부가 제대로 시작되었다. 영어 학원을 1년 정도 다녀서 4학년이 되자 영어 학원을 바꾸고 기타 학원도 가고 수학 학원도 처음으로 다녀보고 5학년 여름 방학에는 수영 학원도 시작하게 되었다.

다시 생각해봐도 책 속의 일수의 인생과 나의 인생의 비슷한 점이 너무나도 많은 것 같다.

나는 8살 때 학교에 처음 들어와서 고학년 형들을 바라보며 '참 멋있다!'라는 생각을 했었다. 왜 그런 생각을 했는지는 기억이 잘 나지 않는다. 아마 고학년이 되면 저 형들처럼 '키도 커지고 공부도 잘하게 될거야!'라고 생각을 했던 것 같다. 하지만 막상 5학년이 된 지금, 다시 생각해보면 고학년이 된다고 해서 뭔가가 대단히 달라지지는 않는 것 같다. 키도 내 생각보다는 그렇게 커지지도 않았고, 또 공부는 더 그런 것 같다. 유치원이랑 초등학교 저학년 때에는 공부가 이렇게 어려운 것인지 잘 몰랐는데 학년이 조금씩 올라갈수록 공부는 점점 더 어려워졌다.

그리고 막상 고학년이 되니 후회도 많이 된다. 특히 고학년스럽지 못했던 나의 행동이 많이 반성된다. 한 번만 더 생각해서 행동해야 되는데, 아무 생각도 하지 않고 순간적으로 '욱'하는 마음에 저지른 일들이 참 많은 것 같아 부끄럽고 민망하다.

일수는 서른 살이 되어 자신이 하고 싶은 일을 찾아 떠났다. 일수가 평생토록 자신이 잘 하는 일이 무엇일까 고민하고, 자신의 미래가 어떤 모습일지를 상상했던 것처럼 나 역시도 내 미래가 너무 궁금하다. 비록 아직까지 잘 하는 것도, 자신 있는 것도 많지 않지만 나는 내 미래한테 후회가 되지 않도록 조심조심 생각하며 살아갈 것이다.

서우의 인생

인천부내초 5학년 이서우

오랜만에 일기를 쓰며 나의 삶을 되돌아보려고 한다. 그동안 나의 삶에는 많은 일이 있었다.

나는 2012년 3월 23일 인천에서 태어났다. 어린 시절 부모님의 사랑을 받으며 자랐고, 2018년 즈음에는 ○○유치원에서 처음으로 친구들과 지내게 되었다. 유치원 때의 기억은 가물가물하지만 나눔장터를 했던 기억이 살짝 스쳐 지나간다. 2019년에는 초등학교에 입학했는데 1학년이 마무리 될 즈음 코로나 19라는 아주 독한 바이러스가 유행을 했다. 모든 사람들이 마스크를 쓰고 다녔고, 수업은 비대면으로 이루어졌다. 대부분의 시간을 집에서 보냈는데, 그때 집에서 먹었던 꿀 사과 1조각이 매우 맛있었다는 생각이 문득 들었다.

2021년이 시작되었다. 드디어 코로나 19가 조금씩 잦아들고 드디어 학교를 갈 수 있게 되었다. 하지만 예전같지는 않았다. 교실과 급식실에는 칸막이가 쳐져 있어 친구들의 얼굴과 선생님의 얼굴이 잘 보이지 않았다. 그리고 이 때 배추 흰나비의 한살이를 공부하고 있었는데 배추 흰나비의 애벌레를 직접 보지 못해 아쉬웠던 기억이 있다.

코로나 19 기간에는 짝이 없었는데, 5학년이 되자 드디어 짝이 생겼다. 그리고 예전에는 가지 않았던 현장체험학습이 다시 시작되었고 우리는 서울랜드에서 그동안의 스트레스를 마음껏 풀 수 있었다.

드디어 초등학교의 마지막 학년, 6학년이 되었다. 6학년은 아무일 없이 그럭저럭 잘 지나갔다. 그리고 드디어 졸업을 했다.

중학생이 되자 많은 것이 달라졌다. 교복이라는 것도 처음으로 입게 되었다. 교복을 입고 중학생이 되자 장래희망이 확실해졌다. 나는 내 장래희망을 위해 열심히 공부하고 또 공부했다. 하지만 공부는 너무 힘들었다.

2028년 나는 ○○여고에 들어갔다. 고등학교는 중학교와 비교도 안 될 정도로 공부의 양과 숙제가 많았다. 그리고 그 중에서도 나를 가장 힘들게 하는 것은 바로 '영어'였다.

나의 꿈은 '곤충학자'였다. 그리고 이 꿈을 이루기 위해선 대학교 때 '생명과학'을 전공해야 하는데, 그러기 위해선 영어공부를 더 열심히 해야만 했다.

2030년, 고3이 되었다. 공부는 더 힘들어졌지만 나는 나의 꿈을 이루기 위해 열심히 노력했다. 부족했던 영어실력도 많이 늘었다.

수능 날이 되었다. 나는 그동안의 나의 모든 것을 쏟아부었고 드디어 내가 가고 싶었던 ○○대학교에 들어가게 되었다. 그동안 열심히 공부한 보람과 뿌듯함이 밀려왔다. 그리고 하루하루를 알차게 보내기 위해 노력했다.

2034년 나는 대학교를 졸업하고 내가 좋아하는 일을 하기 위해 많은 곳들을 알아보았다.

이런 노력 끝에 나는 드디어 동물보호 연구소(동물을 보호하기 위해 연구하는 곳)에 취직을 했고, 이 곳에서 내가 좋아하는 많은 동물을 관찰하며 행복한 시간을 보내고 있다.

잘 하는 게 뭐에요?

인천부내초 5학년 최하은

나에게는 장래희망이 많다. 의사, 교사, 작가, 사진작가, 편집자, 성우, 제빵사, 패션디자이너, 웹툰 작가, 게임디자이너, 미용사 등등 다양한 방면에 걸쳐 하고 싶은 일이 참 많다.

피아노를 치다가 피아니스트가 되고 싶었던 적도 있고, 소장용 브이로그를 찍고 편집하다가 사진작가와 편집자가 되고 싶었던 적도 있다. 또 가야금을 치다가 가야금이 좋아져 가야금 연주자도 생각을 해보았고, 좋아하는 연예인의 성대모사를 하다가 더빙을 하는 성우, 그리고 좋아하는 게임에 푹 빠져 게임 디자이너가 되고 싶다는 생각을 해본 적도 있다.

다른 사람들은 꿈이 변한다고 한다. 하나의 꿈을 꾸었다 꿈이 바뀌면 예전 꿈은 별로 생각하지 않는다. 하지만 나는 조금 다르다. 수학에 있는 더하기, 빼기를 예로 들면, 나의 꿈에는 빼기는 없고 더하기만 있는 것이다. 물론 그렇다고 내가 모든 것을 잘하는 것은 아니다. 꿈이 웹툰 작가이지만 그림을 잘 못 그리고, 꿈이 작가이지만, 글을 썩 잘 쓰는 편도 아니다. 주변 사람들에게 이런 나의 고민을 이야기하면 "아직 직업 고민을 하는 건 빨라!"라는 답이 온다. 물론 나도 지금 나의 직업을 선택하려고 하는 것은 아니다. 그저 내가 재능이 있는 것, 내가 잘 하는 게 무엇인지를 찾고 싶은 것

뿐이다. 하지만 아직 나는 내 재능이 무엇인지 잘 모른다. 학교에서 재능발표회를 한다고 했을 때 친구들 앞에서 무엇을 보여줘야 할지 몰라 한참을 고민한 적이 있다. 그리고 뭔가 잘 하는 게 보이기 시작하면 어김없이 나보다 더 잘 하는 사람이 나타나 나의 재능의 새싹이 사라지곤 했다.

나도 잘하는 것을 가지고 싶다. 내가 좋아하고 잘하는 것을 친구들에 앞에서 당당하게 보여주고 싶다. 그러기 위해서 나는 오늘도 노력하고 있다. 비록 지금은 많이 서툴고 엉성하지만 그래도 나는 계속 도전할 것이다. 내가 잘 하는 걸 찾을 때 까지...

나의 쓸모

5학년인 나는 고민이 참 많다. 그 중에서도 꿈에 대한 고민은 여전히 진행중이다. 그래서 나는 꿈이 확실해서 그 꿈을 향해 달려나가는 친구들을 보면 너무 멋있고 부럽다는 생각이 든다.

과연 나의 쓸모는 무엇일까? 쓸모가 무엇인지 알기 위해서는 내가 좋아하는 것과 잘하는 것이 무엇인지를 먼저 알아야 한다.

나는 줄넘기과 과학을 좋아한다. 그리고 어느 정도 자신이 있다. 사실 줄넘기를 더 좋아하고 잘한다. 하지만 줄넘기를 나의 쓸모로 생각하니 줄넘기로 할 수 있는 나의 쓸모는 줄넘기 국가대표가 되는 것 말고는 생각이 잘 나지 않는다. 그래서인지 부모님은 줄넘기 쪽보다는 과학 쪽으로 나의 쓸모를 정하길 원하신다.

그렇다면 '쓸모'는 누가 정하는 것일까?

내 생각에 쓸모란 누가 정해주는 것이 아니라 내가 스스로 찾아나가면서 느끼고 알아가는 것인 것 같다. 그리고 그 쓸모를 통해 알맞은 직업을 선택해야 하는 것 같다.

나는 아직 구체적으로 나의 진로를 찾지 못했다. 그렇다고 포기한 것은 아니다. 나의 쓸모를 찾아 진로를 찾고 그 꿈을 이루기 위해 노력하는 것이 내 인생에서 중요한 부분이라는 것을 알기 때문이다. 나는 오늘도 나의 쓸모를 찾기 위해 화이팅 할 것이다.

20년 후

인천부내초 5학년 김건우

나는 2012년 8월 12일에 태어났다. 우리 엄마는 태몽으로 뱀 꿈을 꾸셨다. 무시무시한 뱀이 똬리를 틀고 화난 모습으로 엄마를 노려보고 있었다고 한다. 아마 그 화난 무시무시한 뱀이 나인 것 같다. 하지만 난 태몽 속 모습과는 다르게 어린 시절은 매우 얌전하고 순하게 지낸 것 같다. 그러다가 10살 때 나의 원래 모습이 드러나 버렸다. 정확하게 어떤 사건이나 이유가 있었던 것은 아닌 것 같은데 내 성격이 갑자기 'E'가 되어 버린 것이다. 그것도 평범한 'E'가 아니라 극 'E'가 말이다. 그리고 이 성격은 지금까지도 변하지 않고 있다.

시간이 흘러 흘러 나는 내가 평소 가고 싶었던 카이스트에 당당히 합격, 그리고 우수한 성적으로 졸업을 했다. 이 우수한 인재를 영입하기 위해 많은 회사가 노력했지만 나는 평소 내가 좋아하던 장난감과 관련한 직업을 가지고 싶었다. 그리고 드디어 나는 레고 디자이너가 되었다.

레고 디자이너로서의 삶은 매우 만족스럽다. 내가 좋아하는 장난감을 실컷 가지고 놀 수도 있고, 또 이걸로 돈을 번다. 그리고 요즘은 취미생활로 레고와 관련한 유튜버로도 활동을 하고 있다.

오늘은 그동안 내가 디자인한 레고 신제품을 소개하기 위해 레고

본사가 있는 덴마크에 가는 날이다. 무척 떨리는 날이다. 내가 디자인한 레고에 대해 사람들은 어떤 말들을 할지...

드디어 덴마크에 도착했다. 20년 전 내가 꾼 꿈을 이루어냈듯이 앞으로도 난 계속 나의 꿈을 위해 노력할 것이다.

제7장 **우정**에 대하여

<생각이 자라는 글쓰기>의 일곱 번째 주제 찾기 도서는 『긴긴
밤』(루리 글/그림 / 문학동네)입니다.

『긴긴밤』은 지구상의 마지막 하나가 된 흰바위코뿔소 노든과 버
려진 알에서 태어난 어린 펭귄이 수없는 긴긴밤을 함께하며, 바
다를 찾아가는 이야기입니다. 『긴긴밤』은 "멸종되어 가는 코뿔소
와 극한의 상황에서도 포기하지 않는 펭귄의 모습을 아름답게
그려 낸 작품"이라는 평을 받으며 『5번 레인』과 함께 제21회 문
학동네어린이문학상 대상을 받았습니다.

코끼리 무리에서 자라난 코뿔소 노든과, 버려진 알에서 태어난
어린 펭귄. 사랑하는 이들의 몫까지 살아 내야 하는 노든과 스스
로 살고 싶어서 악착같이 살아 내는 어린 펭귄. 머리부터 발끝까
지 모든 것이 다른 두 존재가 '우리'가 되어 긴긴밤을 뚫고 파란
지평선(바다)으로 나아가는 여정과 그들 사이의 우정은 우리에게
많은 것을 이야기합니다.

이번 <생각이 자라는 글쓰기>는 『긴긴밤』 속 코끼리 무리에서
자라난 코뿔소 노든과, 버려진 알에서 태어난 어린 펭귄의 여정

을 함께 하며 진정한 '친구' 혹은 '우정'의 의미가 무엇인지를 찾아보는 것입니다.

내 주변에 있는 친구들을 돌아보며, 친구란 무엇인지, 진짜 우정이란 무엇인지를 깊게 생각해보고, 친구와 우정에 대한 여러분의 생각을 글로 담아주세요.

미안해, 친구야!

인천부내초 5학년 박재인

나에게는 ○○이라는 절친이 한 명 있다. 1학년 때부터 4학년 때까지는 잘 모르고 지내던 사이였다. 그저 복도에서 가끔 보기만 하고 심지어 이름조차도 몰랐다. 그런데 5학년이 되어 그 친구와 같은 반이 되었고, 나는 그 친구를 볼 때마다 친해지고 싶다는 생각이 간절히 들었다. 하지만 낯을 많이 가리는 나의 소심한 성격 탓에 그 친구에게 한마디 말도 걸지 못하고 있었다. 그런데 몇일 뒤에 그 친구가 나에게 먼저 말을 걸어왔다. 그 친구도 새로운 반에 올라와서 친구가 너무 없었는데 나를 보고 친구가 되고 싶다는 생각이 들었다는 것이다. 나는 꿈만 같았다. 그리고 우리 둘은 그 누구보다 친한 친구가 되었다. 그리고 이 친구 덕분에 우리 반 다른 친구들과도 더 많이 친해지게 되었다. 그런데 이런 우리 관계에 금이 가는 일이 생겼다. 바로 다른 친구 때문이었다. ○○이는 내가 새로 사귄 친구를 별로 좋아하지 않았다. 그럼에도 나는 새로 사귄 친구와 같이 다니는 일이 잦아지게 되었고, 그러다보니 자연스럽게 ○○이와 부쩍 멀어지는 느낌이 들었다.

나는 여전히 ○○이가 나의 가장 친한 친구이고 그리고 이 친구와 계속 가깝게 지내고 싶다. 왜냐하면 ○○이는 나에게 먼저 손을 내밀어준 친구이고, 그리고 ○○이와 함께한 좋은 시간이 많았기 때문이다. 물론 방법은 있다. 내가 새로 사귄 친구와 멀어지면 된다. 하지만 나는 불안하다. 이건 좋은 해결책이 아니기 때문이다. 평소 울음이 많은 편인데, 만약 이렇게 되면 너무 속상하고 또 눈물이 날 것만 같다.

나는 '우정'이란 신뢰와 공감, 이해를 해주는 것이라고 생각한다.

○○이는 지금까지 내가 만난 친구들 가운데 가장 배려심이 넘치고, 잘 통하고, 내 고민을 잘 들어주고, 나를 가장 잘 챙겨주던 찐 우정 친구였다.

요즘 부쩍 ○○이 생각이 많이 난다. 쉬는 시간에 함께 수다를 떨고, 주말마다 같이 놀았던 생각들이 나며 ○○이와 얼른 예전처럼 돌아가고 싶다는 생각뿐이다.

이런 나의 고민을 글을 쓰며 털어놓으니 살짝 상쾌함이 있는 것 같기도 하다. 하지만 여전히 나의 마음은 많이 무겁다. 그리고 ○○이에게 이 말을 꼭 전하고 싶다.

○○아~ 진짜 미안해!

친구와의 이별

인천삼목초 5학년 박수아

3학년 때 나는 라현이, 예은이라는 친구와 매우 친했다. 우리는 서로를 삼총사라고 부르며 어디든지 함께 다녔다. 학교를 마치면 놀이터에서 놀기도 하고, 심지어는 엄마의 심부름을 하러 마트에 갈 때도 함께였다. 하지만 12월의 어느 날, 새로 올라가는 4학년의 반배정이 발표되었다. 발표된 반 배정을 보니 예은이는 1반이 되었고, 나랑 라현이는 2반이 되었다. 나는 라현이랑 같은 반이 되었다는 것에 안도했지만 예은이와 떨어지게 되어 속상한 마음이 들었다. 그리고 또 하나 걱정이 있었다. 사실 우리는 서로 친하긴 했지만 주로 셋이 있었기 때문에 예은이 없이 라현이와 둘만 있는 것이 살짝 어색할까 하는 걱정이 들었다.

하지만 4학년의 학교생활은 걱정과는 다르게 너무 재미있었다. 셋이 아닌 라현이와 둘만 있는 어색함도 금방 해결되었다. 내가 먼저 라현이에게 다가갔고, 라현이도 마음의 문을 활짝 열어 우리 둘은 더욱 친해질 수 있었다.

나는 이 행복이 영원했으면 좋겠다고 생각했지만, 유감스럽게도 그러지 못했다. 작년 여름부터 우리 부모님이 이사에 대한 이야기를 꺼내셨기 때문이다.

"엄마, 우리 이사가?"

"응, 아빠 회사가 인천으로 옮겨졌어. 아빠 출퇴근이 편해야 해서 이사를 가야 할 것 같아." 하지만 나는 이사가는 것이 너무나 싫었다. '라현이와 떨어지면 어쩌지?', '전학 가면 나는 이제 누구랑 놀지?'와 같은 여러 가지 생각들이 머릿속에서 소용돌이쳤다.

어느새 12월이 되었다. 라현이와 진짜로 이별을 하게 된 것은 방학 날인 12월 28일이었다. 라현이는 나와 헤어지는 것이 슬펐는지 학교에서도 울고, 집에서도 울었다고 한다. 나 역시도 마찬가지였다.

새로 전학간 학교에서의 생활은 내가 생각한 것보다 괜찮았다. 친구들은 내가 전학을 왔다고 모르는 것을 많이 알려주었고 나에게 친절하게 대해주었다. 또 담임선생님도 친절하셨다.

요즘은 가끔 라현이와 함께 했던, 그리고 라현이가 가장 좋아했던 '컵 타워'라는 게임이 생각난다. 이 게임을 하며 우리는 참 많이 웃고 떠들며 재미있게 지냈었는데...

물론 지금도 라현이하고는 영상 통화를 하며 잘 지내고 있다. 하지만 라현이와 함께 했던 즐겁고 행복했던 순간들이 아직도 생생하기만 한 것 같다.

진짜 친구란

인천부내초 5학년 김건우

나에게는 7년지기 친구가 한 명 있다. 싸운적도 한 번 없고 성격도 너무 잘 맞는 정말 좋은 친구이다. 그런데 얼마전 이 친구와 같이 놀기로 한 장소에 도착했는데 연락이 되지 않았다.

'혹시 무슨 일이 생겼나?' 나는 친구가 걱정이 되어 몇 번이고 다시 전화를 걸어보았다. 하지만 전화는 통화음만 연결될 뿐 내가 기다리던 친구의 목소리는 들리지 않았다. 나는 혹시나 하는 마음으로 다른 친구들에게 연락을 해보았다. 하지만 다른 친구들 역시 내 전화를 받지 않는 것이었다.

'이게 무슨 일이지? 왜 다들 내 전화는 받지 않는 거지? 혹시 내가 지금 왕따를 당하고 있는건가?'

나는 별의별 생각이 다 들었다. 결국 나는 친구와의 연락을 포기하고 걱정스러운 마음을 안고 집으로 돌아왔다.

다음날이었다. 나는 헐레벌떡 학교로 뛰어갔고, 교실에 들어가자마자 그 친구가 있는지 확인해 보았다. 다행히 그 친구는 교실에 앉아있었다.

"야, 너 어제 무슨일이야? 왜 전화도 안 받았어?" 나는 짜증 반, 걱정 반의 마음으로 친구에게 물어보았다.

"응, 사실 나 어제 많이 아팠어. 그래서 전화도 못 받았어."

나는 친구의 말을 듣고 살짝 미안한 마음이 들었다.

"어제 전화 못 받은 거 정말 미안해."

친구는 내가 한 전화를 못 받은게 많이 미안했는지 나에게 미안하다며 계속해서 사과를 했다. 나는 살짝 머쓱해지는 기분을 느꼈다. 그리고 친구에게 살짝 짜증을 낸 것이 미안하기도 하고 부끄럽기도 했다. 이 일이 있은 후 우리는 더욱 같이 다니는 날이 많아졌다. 물론 매번 사이가 좋은 것은 아니다. 때론 싸우기도 하고, 놀리기도 하면서 서로 장난도 많이 친다. 하지만 진짜로 서로의 마음에 상처를 주거나 다치게 하는 일은 하지 않는다. 왜냐하면 우리는 진짜 친구니까...

딱풀같은 친구

인천송명초 5학년 정해윤

나는 소심한 성격 탓에 친구가 많진 않지만 그래도 소중한 친구들이 몇 명 있다. 물론 그 친구들이 나에게 먼저 다가와주어 우리는 서로 친구가 될 수 있었고, 그 친구들 덕분에 학교생활을 즐겁게 하고 있다. 그런데 가끔은 이렇게 친한 친구들과도 다툼이 일어날 때가 있다.

선생님, 그리고 어른들은 이렇게 이야기한다. "친구들과는 싸우면 안된다." 하지만 난 친구들과의 이런 다툼이나 싸움을 무조건 나쁘게만 보지 않는다.

우리가 살고 있는 사회에서는 크고 작은 다툼이나 싸움이 늘 일어난다. 그리고 난 친구들과 함께 지내는 학교를 작은 사회라고 생각한다. 큰 사회에서 다툼이나 싸움이 늘 일어나듯이 학교라는 작은 사회에서도 친구 사이의 다툼과 싸움은 늘 있는 일이다. 그리고 이렇게 친구들과 다투거나 싸우고 난 뒤 화해를 하면 그 친구와 더욱 끈끈한 관계가 되어 예전보다 더 친해질 수 있다. 바로 우정이 더 단단해지는 것이다.

나는 우정이 친구 관계를 끈끈하게 붙여주는 딱풀이라고 생각한다.

친구와 다퉜을 때 먼저 다가가 화해의 손을 내밀거나 친구가 곤란한 상황에 처했을 때 모른척하지 않고 도와준다면 우리의 우정은 딱풀처럼 끈적끈적해지고, 나중에는 더욱 단단하게 붙어 있을 것이다.

나는 다가오는 새 학년이 되면 지금보다 더 많은 친구와 딱풀 같은 우정을 쌓아보고 싶다. 그러기 위해서는 친구가 나에게 다가오는 걸 기다리는 것이 아니라 내가 먼저 다가가 주는 사람이 되어야 한다. 물론 소심한 성격 탓에 많은 노력이 필요할 것이다. 하지만 용기를 내어 나처럼 소심해서 친구를 잘 사귀지 못하는 친구에게 먼저 다가가 보려 한다. 그러면 분명 마음의 문을 열고 내 손을 잡아 주는 친구가 있겠지?

신기한 재주

인천부내초 5학년 이수아

나는 다양한 연령대의 친구들이 참 많다. 나보다 나이가 많은 언니 친구도 있고, 나보다 어린 동생 친구도 있다. 아빠를 닮아 사교성이 많아서 그런지 나는 자연스럽게 친구와 친해질 수 있는 신기한 재주를 가지고 있다. 뿐만 아니라 나는 한번 사귄 친구들과는 절대로 얼굴을 붉히거나 절교를 하는 일이 없을 정도로 친구 관계도 잘 유지한다. 그래서인지 친구들은 자기가 싫어하는 누군가의 험담을 늘어놓거나 자신의 비밀얘기를 터놓고 말할 상대로 나를 선택할 때가 많다. 물론 비밀유지는 당연히 보장된다.

사실 나도 가끔은 엄마보다 친구가 더 편할 때가 있다. 나의 속 이야기를 하거나 속상한 일이 있을 때 친한 친구에게 털어놓으면 마음이 편해진다. 아마도 엄마보다는 친구가 나랑 더 비슷한 환경에 있어 내 얘기에 공감을 잘해주어서 그런 것 같다. 이렇게 친구 이야기를 하다보니 나는 정말로 친구가 없으면 안될 것 같다. 친구들과의 수다떨기가 2주만 멈추어도 난 아마 우울증에 걸릴 것이다.

우정...

나에게 우정은 정말로 중요한 것이다. 요즘 사회시간에 역사를 계속 배우고 있는데, 우리의 역사 속에서도 이 우정 때문에 일어난 사건이 굉장히 많다. 그만큼 우정이라는 것은 우리의 삶 속에서 절

대 없어서는 안 될 중요한 요소인 것이다. 난 앞으로도 이 우정을 잘 간직할 것이다. 그리고 나의 신기한 재주인 친구들과의 좋은 관계도 계속 잘 유지해 나갈 것이다.

우정, 그리고 친구는 나에게 있어 소중한 재산이다.